JN087890

はじめに

佐藤　優

二〇二〇年一月一八日で私は六〇歳になった。一昔前ならば、還暦でリタイアする年齢だが、将来の不安があるので、還暦を過ぎても私を含め多くの人が仕事を続けている。もっとも民間企業の場合、役員になった人を除いては六〇歳で定年になる場合がほとんどだ。現在の職場で一年更新で仕事を続ける場合もラインから外れて、これまでの年収の二〇〜六〇パーセント程度の賃金で六五歳までの年金受給開始までつないでいくという選択をする人が多い。

五〇代後半になると、近未来の自分の姿が見えてくると同時に不安を覚えるので、高校、大学時代の友人で集まることが増える。私の場合、大学は同志社大学神学部（一九八三年卒業）で大学院神学研究科（一九八五年修了）に進んだ。現在は神学部でも民間企業に就職する学生が大多数だが、私の時代は、牧師か研究者になるか、民間企業に就職しても、その後、地方政治家や自由業に転出する人が少なからずいた。だから六〇歳が定年という意識が少ない。大学時代の友人と集まっても「民間企業に就職した人たちはたいへんだなあ」というような話にしかならない。

これに対して埼玉県立浦和高校時代の同級生はほとんどが民間企業か役所に勤めている。だから、定年問題は深刻だ。「佐藤はいいなあ。作家なんで定年がなくて」と言われる。もっとも私の場合、二〇〇二年の鈴木宗男事件の嵐に巻き込まれて、東京地方検察庁特別捜査部に逮捕、起訴されたことによって、外交の第一線を離れることを余儀なくされた。

無罪推定の原則が働くので、二〇〇九年六月に最高裁判所で懲役二年六カ月（執行猶予四年）の刑が確定するまで、外務公務員の身分は維持されていた。しかし、逮捕後は外交業務に従事することはまったくなかった。基本給の六割は支給されるが、手当や賞与は一切つかず、税金、保険料が差し引かれるとまともな生活ができる水準ではなかった。また、裁判を闘っていくには経費が必要になる。これを稼がなくてはならない。

外務公務員法（国家公務員法の特別法）では兼業が禁止されている。私が仕事を始めれば、外務省はそれを理由に私を懲戒免職にするであろう。外務省の指揮命令に従って行った仕事が「犯罪」として摘発されたのだから、この闘いは外務公務員としても身分を維持しながら行わなくてはならないと私は考えた。何事においても筋を通すことが重要なのである。

外務公務員法と『外務省員手帳』を精読すると、一つだけ外務公務員の身分を維持しながらできる仕事が見つかった。作家だ。日本国憲法で表現の自由はすべての人に対して認められている。そこでは外務省員を含む国家公務員も対象になる。外務省では、寄稿・出版届を提出すれば、新聞や雑誌への寄稿、出版は認められていた。原稿料、印税の受領も認められている。外務公務員の身分を維持しながら公判闘争を維持するためには、作家になる以外の選択肢が私にはなかったのだ。

幸い、作家の仕事は私の性格に合っていて、よい読者に恵まれ、今日までこの世界で生き残ることができている。

高校時代の同級生や、神学部の友人、他の作家と話しているときに、時々「話がうまく嚙み合わない」と思うことがある。二つのテーマに関して、私が皮膚感覚で理解できないからだ。

一つ目は、一九八〇年代初めに爆発的な影響を持ち始め、その後、日本の思想界の主流となったポストモダニズムだ。とくにそれが持つ価値相対主義に私は強い違和感を覚えている。

二つ目は、バブル経済に対する経験だ。日本がバブル経済で浮かれていたころ、私は社会主義体制末期のソ連にいた。そこでは物不足が深刻で、石鹼《せっけん》や砂糖が不足して長時間、行列に並ばなくてはならなかった。日本大使館の同僚外交官は、スウェーデンやフィンランドのデパートから通販で生活必需品を購入していたが、私はモスクワ国立大学で研修している時期は、ロシア人と同じ生活をしたいと考え、外国から物品を購入することはせず、また、自家用車も持たず、移動には公共交通機関や白タク（ソ連時代はタクシーが極度に不足していたので、市民は日常的に白タクを用いていた）を利用した。その結果、私はモスクワに在住する西側の外交官の中では、ロシア社会に深く食い込むことができた。

本文で詳しく述べるので、ぜひ、目を通していただきたいが、ソ連は建前と本音が区別されたポストモダンの帝国だった。ただし、大量消費社会が行き着いた先のポストモダニズムとは異なる性格を帯びていた。硬直したマルクス・レーニン主義（ソ連時代末期の一九八〇年代には科学的共産主義と呼ばれていた）イデオロギーに関しては、ソ連共産党中央委員会の官僚を含め、誰も信じていなかった。

そのような状況で、公認イデオロギーとは別のところで「小さな差異」を楽しむゲームをソ連の知識人（インテリゲンチア）は楽しんでいた。ソ連では、実質的な労働時間が短かったので（完全週休二日制で、平日の労働時間は三〜四時間程度）、ゆっくり本を読み友人と語り合う時間が十分にあったことも、このような知的遊戯を知識人が楽しむ前提にあった。

こういった知識人が、ソ連崩壊で重要な役割を果たしたのであるが、この人々が革命を起こすのに用いたのはポストモダン思想ではなく、一八世紀型の啓蒙《けいもう》の思想か、一九世紀型のナショナリズムだった。知識人は、啓蒙の思想もナショナリズムも虚偽のイデオロギーであることをよく理解していた。しかし、現実に人々を動員するには、いずれかのイデオロギーに依拠するしかないと諦めていた。

現下の日本の状況は危機的だ。とくに今年（二〇二〇年）一月からの新型コロナウイルスによる感染症の拡大で危機が顕在化した。そこから脱出するのに有効なイデオロギーも啓蒙の思想かナショナリズムしかないのではないかという仮説を私は持っている。この点について、ポストモダン思想に通暁し、この思想の「伝道者」の一人であった香山リカ氏と私は以前から掘り下げた話をしてみたいと思っていた。香山氏は、リベラル派の有力な知識人として政治・社会問題にも積極的に参与している。その際、香山氏が依拠しているのは啓蒙の思想のように思える。私は政治活動には消極的だが、自分自身のルーツと関係する沖縄問題に関しては、例外的に行動することがある。その際、依拠するのはナショナリズムだ。

ポストモダニズムの嵐の後、思想にどういう意味があるかについて考えるための材料を本書は提供している。新型コロナウイルス禍以後の世界について考えるために本書を活用してほしい。

香山リカ氏、㈱同文社の前田和男代表取締役社長にたいへんにお世話になりました。どうもありがとうございます。

二〇二〇年五月

目次　不条理を生きるチカラ

第1章 ◆ 私たちのポストモダン体験

第2章 ◆ 不条理に向き合わない「ポストモダン」

第3章 なぜ不条理が不条理のままに放置されるのか

第4章 不条理に染まるメディアと社会

序章

「コロナ禍」という不条理

ハラリの未来モデル「疫病の克服」は幻想だった!?

香山　ほぼ一年をかけて、佐藤さんと「不条理」という文明論的なテーマについて、ポレミークで挑戦的な対論を続け、ようやく出版にこぎつけたところ、新型コロナウイルスによる世界的パンデミックが起きました。二人で話してきた「不条理」にかかわるテーマそのものですので、これをパスするわけにはいきません。私たち二人の対談のまたとない導入部になると思って、出版社に無理をお願いして、急遽《きゅうきょ》、「序章」として付け加えてもらうことにしました。

最初に、本対談の通奏低音である「不条理」という切り口で、今回のコロナ禍をどうとらえたらいいのかを、考えてみたいと思います。今私が感じているのは、今回の新型コロナウイルス感染症に対して、これまでの、少なくとも近代以降の文明論的なクリティークがまったく役に立たないのではないかということです。極論すると、ある種の「判断停止」かもしれないけれど、「これは不条理な出来事なんだ」とあっさり受け止めてしまったほうがよほど楽かもしれない。そんな気さえします。

私は臨床医として、今も「コロナ禍」と向き合いながらいろいろなことを考えさせられていますが、それについてはおいおい述べるとして、まずは佐藤さんにうかがいます。現下のコロナ禍を文明論的な文脈で、どう受け止められていますか？

佐藤　確かに、香山さんがおっしゃる通り、これまでの文明論的クリティークのほとんどは現状を理解するのに役立たないと思います。しかし、こういう状況でも過去の遺産から未来へのヒントを得るというアプローチしかとれないのではないでしょうか。

その手がかりの一つを挙げるならば、やはり、イスラエルの歴史学者ユヴァル・ノア・ハラリ[*1]氏の世界的ベストセラー『ホモ・デウス』でしょうね。

有史以来、人類を悩まし続けてきた飢餓、疫病、戦争が今や克服されつつあるという認識のもとに、将来人工知能（AI）やバイオテクノロジーが高度に進化し、一部の人間が死なない身体を手に入れ、神の座に就く可能性と、たどる人類の未来について考察した大作です。

香山　その前作『サピエンス全史』は、アフリカでひっそりと暮らしていたはずの、恐竜のようなからだの大きさも、チーターのような足の速さも、鳥のように飛べる翼も、ライオンのような牙も、サルのような毛皮さえ持たないホモ・サピエンスが、食物連鎖の頂点に立ち、文明を築いたのはなぜかを描いた壮大な文明史でした。ハラリ氏は、その最大の理由は、「ホモ・サピエンスだけが虚構（fiction）を共有（shared）する能力を持ちえたからだ」と言います。その主張を通奏低音としてハラリ氏のガイドに従って人類史を読んでいくと、実に心地よく頭に入ってくる。「本当か?」とツッコミを入れる間もなく近代までたどり着いてしまった、という記憶があります。

ただ、その続編ともいえる『ホモ・デウス』はある意味、問題作でした。人類は文明を発展させて、ついにITとバイオ産業にたどり着いた。佐藤さんが言うようにそこで飢餓や疫病は克服され、「死なない身体」を手に入れようとする人まで出てきていますが、同時にリベラル・デモクラシーは破綻《はたん》し、格差が極端に広がる。つまり、神の座に就く「ホモ・デウス」と、その人たちに使われる大多数の奴隷とが出現しかねない。私はこれをディストピアの予言書として読みました。

「ホモ・デウス」の出現の手前に今回のようなパンデミックがあり、まさに格差も差別もなくすべての人が平等にその感染の恐怖に震え、実際に感染している、という事態はハラリ氏も予想していなかったのではないでしょうか。

佐藤　確かにその通りです。彼はあくまでも飢餓、疫病、戦争の三大問題が克服されることを前提とした上で「未来予測モデル」を提唱したわけですが、私からすると、それは今回のコロナ禍で大きく後退すると思います。いや、それどころか、人々は三大問題が解決できるというのは「幻想」にすぎないと思うようになるのではないか。しかし、ハラリ氏がディストピアとして描いたAＩ技術とバイオテクノロジーを手にした少数者による支配の可能性は高まったと思います。

新型コロナウイルスの感染者数が徐々に増え、誰もがいずれ爆発的な感染拡大が起きると予想するようになると、ウイルス感染は他人事《ひとごと》から自分自身の問題になります。

自分が感染するかもしれない、経済活動にも規制がかかるかもしれない。目に見えないものによって生命や日常生活を送るための経済的基盤も脅かされる。そんな不安が募った今、疫病が歴史的に克服されつつあるという話は、「幻想」にすぎないと思うんじゃないか。

香山さんは精神科医として「現場」をもっているわけで、その立ち位置からは、今回のコロナ禍をどう受け止められますか？

私たちは〝同じ袋の鼠〟になった！

香山　実は私は、今回、いろいろといきさつがあり、今新型コロナウイルスにとても近いところで仕事をすることになっているのです。ある意味、宿命的なものを感じるほどです。もちろん、精神科医としては外来診療を続けており、そこにはもともとの精神疾患にコロナ恐怖がさらに加わり、身動きが取れなくなっている人もいます。でも意外なことに、結構な割合の患者さんたち、たとえば親との葛藤《かっとう》に苦しむ人は、「社会的距離《ソーシャルディスタンス》」を理由に親との対面や対話を避けることでストレスが減ったり、ひきこもりが長年続いていた人は、「Stay Home（おうちにいよう）」との呼びかけに、我が意を得たりとばかり堂々と自宅で過ごせるようになったりもしているのです。毎週、外来で「就労支援センターに今週も行けなかった」とうなだれていた人が、「今センターも閉鎖されているので」と笑顔を見せたりして、こちらも思わず微笑《ほほえ》んでしまいます。

一方、まったく別のことも起きています。

私は、一〇年くらい前から貧困問題に取り組む作家の雨宮処凛《あまみやかりん》さんたちと不定期的にシンポジウムなどを開催してきました。その仲間の一人で、日本の自殺対策の第一人者ともいえるＮＰＯ

法人「自殺対策支援センター ライフリンク」代表の清水康之さんが中心になって、厚労省から委託されて始めた「新型コロナウイルス感染症関連SNS心の相談」という事業に、三月一五日からかかわっているのです。

これは、専門の相談員がネットからアクセスしてきた人にチャット形式で応じるもので、平日は四時間、土日祝日は八時間行われます。私は相談員たちのやり取りをモニタリングしてリアルタイムで助言をするスーパーバイザーを引き受けているのですが、二日に一日の割合で現場に行くので、夜は結構たいへんで……。でも一カ月で約千人の方の「コロナ以降の心の悩み」を実際に目にし、この疫病が体より先に、現代人の、それもこれまで仕事や育児などをむしろバリバリこなしてきた人たち、まさにハラリ氏の言うホモ・デウスに近いところにいた人たちの精神を破壊しつつある、というのをしみじみと実感しています。

極端な言い方をすれば、これまで精神疾患を抱え、仕事や学業がままならなかった人たちは今回のことでひそかにほっと一息ついて家で休んで自分を取り戻しており、逆に高度資本主義社会の勝者の側だった人たちの心が壊れそうになっているのです。

これは理にかなっているのか不条理なのか、よくわかりませんが。とにかく一足飛びには『ホモ・デウス』の世界は実現させまいぞ、という何かの意志さえ感じます。疎外され、「ひとごと」とされてきた人たちの側からの無意識の叛乱《はんらん》……と言えば、やさしい彼らは「そんなことは望んでいない」と言うでしょうけれど。

佐藤　実に興味深い指摘です。ホモ・デウスに近い人たちの価値観は、富を蓄積する、名声を得るという外部の評価に依存する要素が大きかったと思います。新型コロナウイルス対策で移動の自粛が要請され、家に留まっていることによって、この人たちの関心が内面に向かってきたのだと思います。具体的には「ほんとうの幸せとは何か」「人生の意味とは何か」「死はどういう意味を持つのか」といったような問題を意識するようになった。こういう問題をこれまで迂回《うかい》してきた競争社会の勝者たちの心が折れそうになるのは、当然の現象だと思います。

香山さんが提起された問題を読み解くもう一つの手がかりは、フランスの作家、アルベール・カミュ[*2]が一九四七年に発表した小説『ペスト』（宮崎嶺雄訳、新潮文庫）の次のくだりです。

「この瞬間から、ペストはわれわれすべての者の事件となったということができる。それまでのところは、これらの奇怪な出来事によって醸《かも》された驚きと不安にもかかわらず、市民各自はふだんの場所で、ともかく曲りなりにもめいめいの業務を続けていた。そしておそらく、この状態は続くはずであった。しかし、ひとたび市の門が閉鎖されてしまうと、自分たち全部が、かくいう筆者自身までも、すべて同じ袋の鼠《ねずみ》であり、そのなかでなんとかやっていかねばならぬことに、一同気がついたのである」

冒頭の「この瞬間」というのは、ペストの感染が拡大した県の知事が「ペストチクタルコトヲセンゲンシ　シヲヘイサセヨ」（ペスト地区たることを宣言し市を閉鎖せよ）という電報を受け取ったときを指します。

日本でも不要不急の外出自粛要請が、安倍晋三首相や地方自治体の首長からなされ、そして四月七日、安倍首相によって緊急事態宣言が発表されました。日本の場合、緊急事態宣言によって都市封鎖が可能になるという法律や条例にはなっていませんが、カミュの簡潔な文章に、私たちがいま経験していることが集約されていると思います。つまり、私たちもまた〝同じ袋の鼠〟になったのです。

香山　その後、日本では緊急事態宣言が五月いっぱいまで延長となりましたね。確かに私たちは〝同じ袋の鼠〟になったと言えるでしょう。格差の拡大は世界的なテーマですが、新型コロナウイルスは、英国のチャールズ皇太子やジョンソン首相を襲い、日本では志村けん氏やオムロンの元社長の立石義雄氏の命までを奪いました。ロックダウン、緊急事態宣言の下では、ミシュラン三つ星レストランも大衆居酒屋も営業できません。とはいえ、そこで私たちは〝同じ袋の鼠〟なのだと自覚できるか。私はやや悲観的ですね。

佐藤　私たちは新型コロナウイルスに関してさまざまなメディアから大量に、かつ玉石混交の情報を得ています。新型コロナの情報洪水に飲み込まれて溺《おぼ》れかけているという意味からすれば、カミュの言う〝同じ袋の鼠〟だといえると思います。そのような状況の中、個々人の不安感が募り、一定の方向に転がり始めると止めようがなくなります。デマに踊らされたり、合理的とは言えない行動に走ったりすることで不安感はさらに加速していきます。私が見ていて怖いのは、一部の人たちが国家に対して過剰に迎合し、民間「自粛警察」＝「自警団」的な動きをしていることです。去る五月三日の「朝日新聞デジタル」に次のような記事がありました。

日本のあちこちを、重苦しい空気が覆っている。

東京・品川の戸越銀座商店街。「人出が多い」とテレビで繰り返し報道され、ネット上には「殺人商店街」と書き込まれた。

商店街連合会の事務所で抗議の電話を受けた女性は「非国民のように思われている、と感じた」と話した。

渋谷区役所には、どの店に行列ができている、あのバーが営業しているというメールや電話が連日寄せられる。送り主自ら、「パトロール」と称するものもある。「自警団のよう」。区の職員は漏らした。

こういう動きが今後、拡大していくでしょう。感染症対策を口実にしたファシズムへの転換が進む危険性があります。

「集団免疫」はロシアンルーレット

香山　新型コロナウイルス感染症が拡大し始めたとき、イギリス、スウェーデン、そしてブラジルは、国民の一定数が感染して免疫を獲得することで流行を抑える、いわゆる集団免疫作戦を取ろうとしました。集団免疫というのは、あるところまで感染が拡大することにより、感染者が感染させられる人、つまりまだ免疫を持たない人の割合はどんどん下がって行き、結果的に「一未満」になることで感染が終了する、という考え方に基づいています。全員が感染するということではありません。最後まで感染しない人たちが数パーセントは残ります。こういう状態になれば、たとえ小規模な感染がまた起きても、それはすぐ終息するとされます。このように、免疫を獲得した人の割合がその集団の感染症の流行を終わらせ、さらなる流行を予防させるほど高いことを、「集団免疫の獲得」と呼ぶわけです。オランダのルッテ首相も最初はそれを唱えていたと思いますが。

佐藤 それに対して、「国民の健康でロシアンルーレットをするようなもの」と、自由党のウィルダース党首が批判しました。高まる批判を受け、ルッテ首相は「集団免疫は目的ではなく、今の対策の結果、付いてくるもの」との釈明に追い込まれました。その後、「三人以上の集会の原則禁止など、規制強化に乗り出した」と報道にありました。イギリスのジョンソン首相も同じように最初は「集団免疫」でいくんだといって批判を浴び、路線変更しました。

それで、医師でもある香山さんにうかがいたいのは、にわかに政治家の口から出るようになったこの「集団免疫」あるいは「社会的免疫力」ですが、これまで医学界ではどう受け止められていたのか。そして、今回のコロナ禍で、医学界内部で評価が変わったのでしょうか？

香山 日本ではこういった「集団免疫」の主張はこれまでまずなかったでしょうね。文明史的に感染症をとらえている長崎大学熱帯医学研究所の山本太郎教授は、二〇一一年に出た『感染症と文明――共生への道』（岩波新書）で、「『共生』に基づく医学や感染症学の構築が求められている」と主張しましたが、それが感染症学の領域の中で未来の感染症対策としてまじめに取り上げられることはなかったと思います。

ご存じのように、日本にはアメリカのCDC（疾病対策センター）のような組織はありません。国立感染症研究所の人員や予算は減少の一途です。予算規模でいえば前者が八〇〇〇億円、後者は八〇億円だそうです。ただ、それは日本が感染症に無関心だったわけではなく、近年、日本では社会を揺るがすような感染症の流行がなかったからです。もちろんインフルエンザはありますし、SARS《サーズ》（重症急性呼吸器症候群）やデング熱などが流行《はや》ると一定の警戒はしますが、幸いにして日本で大流行が起きることはなかった。そういう中で、とても「集団免疫」をリアルに議論することなどありませんでした。

佐藤 「集団免疫」という発想は、感染症に弱い人間は淘汰《とうた》され、人類が強くなっていくという優生思想につながりかねません。「集団免疫」を主張する人たちは、その思想がはらむ危険性に無自覚と思います。

強欲資本主義が招いた自縄自縛のコロナ禍

香山　私たち現場の医師は、まだ「コロナを語る」ところに至っていません。のちほど述べますが、日本は今回の感染症対策の初動に失敗し、そのあとも迷走を続けています。欧米のような感染爆発や医療崩壊は起きていませんが、現場は振り回され、「もう国には頼れない」と医師会や民間が独自の検査体制を組むなど、混乱状態です。私も、とても「コロナとは何か。コロナ後の社会はどうなるのか」をまだ語る余裕はないのです。そこでここは佐藤さんに存分に語っていただきたい。まず経済への打撃からお願いします。

佐藤　世界経済に与えるダメージについては各メディアが伝えています。ＩＭＦ（国際通貨基金）のゲオルギエバ専務理事は四月上旬、「前代未聞の危機に見舞われている」とし、「世界経済は停止した。現在はすでにリセッションに陥っている。状況は二〇〇八～〇九年の世界的な金融危機時よりもはるかに深刻だ」と述べています。

ＩＭＦはグローバリズムの主要な旗振り役の組織の一つです。グローバル化によって国際分業が進んだ世界では、一つの国が新型コロナウイルスの感染拡大を防ぐために経済活動を止めれば、需要も供給も消失します。時間差で人間の生存に不可欠な需要である食料や生活必需品の供給不足が起きる可能性がないとは言えません。

香山　先ほど述べた通り、私はコロナの問題が始まってから、毎晩のように「コロナ心の相談」というチャット式の相談事業の現場に出かけていたのですが、そこでも「仕事が途絶えて収入がなくなった。死ぬしかない」といった切羽詰まった相談が毎日のように寄せられました。現に私自身、二月から夏にかけて入っていた講演やシンポジウムなどの予定は当然ながらすべてキャンセル。もしこれが本業ならと、ゾッとします。

今回はとくに、工場や店で従業員として働く人だけではなくて、ホテルやレストラン経営者、演劇、音楽、スポーツなどのプレイヤーから興行主までの関係者など、あまりにも広範囲の分野の人たちに、ただごとではない影響が出ています。3・11などのときは、被災地以外では、むしろ「がんばろう。被災地を励まそう。経済を立て直そう」ということでフル稼働できた業種もありましたが、今回はとにかく「何もするな」なのですから。

地震や津波で崩れたわけでもない。すべてはそこにある。でも、何もできない。これまで「どんどん来てください」と観光客を呼び込んでいた北海道、沖縄などが、「来ないでください」と言わなければならないのです。こんな不条理なことはないでしょう。

先般、「AIに奪われる仕事、奪われない仕事」というのが話題になり、私もさかんに授業でその話をしてきたのですが、その前提としていたAI（人工知能）がマネジメントしてつくられる社会の「未来モデル」もご破算です。

佐藤　そうした「未来モデル」もコロナ禍で変更されることになると思います。シンボリックなのは、この三月に、新型コロナウイルスの感染拡大でアメリカの株価が乱高下を繰り返したとき、自動売買するＡＩが〝前例がない〟値動きのために機能不全を起こしたことです。私たちの世界がいかに脆弱《ぜいじゃく》なシステムで動いているのかを示したと言えます。

ヒト・モノ・カネ・情報の移動がかつてなく大量に速く動く世界そのものを新型コロナウイルスが蝕《むしば》んでいるという意味で、冒頭のハラリ氏の言う「この数十年」人間は疫病を「首尾よく抑え込んできた」という見解は、今現在においては当てはまらないと言わざるを得ないでしょう。

同時に新型コロナウイルスによる危機を過大評価する必要はありません。危機をリスク（risk）とクライシス（crisis）に区別して考える必要があると思います。リスクとは、予見可能な不利益や危険を意味します。これに対して、クライシスは予見が難しい、生きるか死ぬかにかかわる危機を指します。二〇一九年一二月、中国の武漢で新型コロナウイルスによる肺炎が流行したとき、この病原体がパンデミックになると予測していた人はほとんどいなかったと思います。もっとも、新型コロナウイルス禍がクライシスかというと、そうとは言えないと私は考えます。この点に関しても、冒頭からしばしば引用してきた『サピエンス全史』『ホモ・デウス』の著者であるハラリ氏の以下の考察が鋭いと思います。

私たちは速やかに断固たる行動をとらなくてはならない。選択を下す際には、目の前の脅威をどう乗り越えるかだけでなく、この嵐が去ればどんな世界に住むことになるかも自問すべきだ。新型コロナの嵐はやがて去り、人類は存続し、私たちの大部分もなお生きているだろう。だが、私たちはこれまでとは違う世界に暮らすことになる。

今回とった多くの短期的な緊急措置は、嵐が去った後も消えることはないだろう。緊急事態とはそういうものだ。緊急時には歴史的な決断でもあっという間に決まる。平時には何年もかけて検討するような決断がほんの数時間で下される。

何もしないリスクの方が高いため、未熟で危険さえ伴う技術の利用を迫られる。多くの国で、国全体が大規模な社会実験のモルモットになるということだ。全ての人が在宅で勤務し、互いに離れた距離からしかコミュニケーションをとらないようになるとどうなるのか。学校や大学が全てをオンライン化したらどうなるのか。いかなる政府も企業も教育委員会も、平時にこうした実験には決して同意しないだろう。だが、今は平時ではない。

（「日経新聞電子版」二〇二〇年三月三〇日）

新型コロナウイルスの嵐が去った後も、人類は存続し、日本人も生き残ります。その見通しは確実なので、現下の情勢はクライシスではありません。もちろん、リスクの閾《しきい》値《ち》は超えています。リスクとクライシスの中間くらいの状況にわれわれは置かれているのです。いずれにせよ、今回とられる緊急措置の結果、世界も日本も構造的に大きく変化することは間違いありません。この変化について明確な見通しを語れる人はいないと思います。経済についても、構造自体が大きく変化するのは確実ですが、その変化がどのようになるかについては、もう少し様子を見ないと予測ができません。

新型コロナウイルスは、ビジネスや社会の形も変える

香山　ロックダウンされた都市では、モノはある、お金はあっても、買いに行けない。配達にも簡単に頼れない。また、感染してしまうとさらに外部とシャットアウトされる。そうなると、韓国のように政府から届けられる食糧でしのぐしかない。そこまでいかなくても、海外との流通がないわけですから、国内で自前でなんでもまかなわなければならない。いくら情報がグローバルに行き来しても、モノや人はそういかない。経済のグローバリゼーションとは何だったのか、こんなにもろいものだったのか、と呆然《ぼうぜん》とします。

佐藤　東西冷戦が終わったあと、アルカイダだとか「イスラム国」（ＩＳ）といった多少の揺り返しはあっても、グローバリズムの流れが大きくは変わらないだろうと誰もが考えていました。ところが新型コロナウイルスで、グローバリゼーションに歯止めが加わり、国家機能は強化されます。一方、新自由主義的な資本主義というシステムが揺らぎ始めました。

香山　私は、二〇一七年に自死を遂げたイギリスの文筆家、マーク・フィッシャー[*3]の『資本主義リアリズム』（堀之内出版）に強い衝撃を受けました。この本は、「資本主義の終わりより、世界の終わりを想像するほうがたやすい」というスロベニアの哲学者、スラヴォイ・ジジェク[*4]が言ったという言葉から始まり、資本主義の加速を止めるのはもはや不可能なのだ、という深い憂いが全編を覆っています。マルクス主義の薫陶を受けたフィッシャーは、むろんそれを是としておらず、「何かオルタナティブがあるはずだ」ともがき続けます。本書にはこう予言めいた言葉があります。

「歴史の終わりというこの長くて暗い闇の時代を、絶好のチャンスとして捉えなければならない。資本主義リアリズムの蔓延《まんえん》、まさしくこの圧迫的な状況が意味するのは、それとは異なる政治・経済的な可能性へのかすかな希望でさえも、不相応に大きな影響力を持ち得るということだ。ほんのわずかな出来事でも、資本主義リアリズム下で可能性の地平を形成してきた反動主義の灰色のカーテンに裂け目を開くことができる。どうにもならないと思われた状況からこそ、突然に、あらゆることがふたたび可能になる」

フィッシャーはそれを見届けないうちに、自ら命を絶ちます。今回のこのコロナ禍が「灰色のカーテンの裂け目」になるのか。事態を見守りたいと思いますが……。

佐藤　日本でいえば、確定申告の期限が延びたことに、政府の危機感が表われています。「新型コロナの影響」と但し書きをすれば、いくらでも延ばせることになりました。徴税が国家にとって最重要事項であることを考えれば、きわめて異常な事態です。

香山　「台風が来ても地震が起きても会社近くのビジネスホテルに泊まって出社するのが美徳」だったビジネスパーソンたちも、通勤や出社が突然、「しないほうがよいもの」となってしまい、テレワークへの切り替えを半ば強制的にしなければならなくなりました。

佐藤　これが一年半続いたら、元の「九〜五時体制」には戻らないでしょう。テレワークの怖さは成果主義が進むことです。オフィスで机を並べていれば、「一生懸命やってるからいいか」と緩い評価にもなりますが、結果でのみ評価されるからです。会社は個人の就労時間を管理し切れず、無際限無定量に働いて成果を上げることが奨励され、極端な能力主義になっていくでしょう。

香山　CNNはいち早く「WFH（Work from Home）」という番組を立ち上げ、テレワークの仕方から問題点までを実際のレポートを通して伝えましたが、私の勤務する大学でもこれまで「デジタル？　AI？　邪道だ」とそっぽを向いていた教員がZoomの使い方を覚えなければならなくなったり、夫がリビングを占拠して仕事をするので主婦の行き場がなくなってストレスからメンタルをやられたり、混乱が続いている印象です。その中で、いち早く適応し、成果を上げられる人は強いでしょうね。ツイッター社は、希望者は永続的にテレワーク可、と発表しました。

佐藤　また、次世代通信の5Gが一気に普及するでしょう。基地局を数多く設置しなければならず、日本では遅れると見ていました。しかし、このままテレワークが進むと需要が急増します。

香山　昨年、北京を訪れ、HUAWEI研究所[*5]のショールームで、5G技術のデモを見せてもらいました。遠隔医療、オンライン授業など、まさにこの事態を見越していたかのように5Gを前提に社会のインフラが組み直されているのを見て、日本の遅れを実感しました。でも、これで日本もそれに追随するしかなくなるのでしょうか。

佐藤　それ以外の選択肢はないと思います。はたして、このような危機的状況の中で、組み立てががらっと崩れてしまうのか。半年くらいで新型コロナ禍の嵐が去るならば、長く続いてきた制度が潰《つぶ》れることはないと思いますけれども、一年半も続けば、社会と経済の構造が大きく変化すると私は見ています。どちらのシナリオになるのか、現時点では何とも言えないというのが正直なところです。

香山　フランスの作家で佐藤さんもその作品『服従』の解説を書いているミシェル・ウエルベック[*6]は最近、友人への書簡という形で、「コロナの前から悪い方向への変化は止めようもなく始まっていた。コロナが起きたからといって一気に悪化するのではない。コロナの収束のあと、〝前より少しだけ悪い社会〟が実現するだけだ」とシニカルなことを言っています。

コロナ禍によって「世界の景色」は変わる

香山　コロナ禍でウエルベックが言うように、「少しだけ悪い社会」が出現するのか、それともガラリと変わるのかは別として、「世界の景色」がこれまでと変わることは間違いないでしょう。

問題はどれくらい、どっちの方向、つまり望ましい方向、望ましくない方向、どっちに変わるかということです。でもまあ、「望ましい」かどうかも、それが人間にとってなのか、動物や環境にとってなのかでずいぶん違いますよね。たとえば、人間が家にこもっている間、地球環境はずいぶん改善したと言われています。二酸化炭素排出量は抑えられ、野生動物が市街地の道路や公園を闊歩《かっぽ》し、ベネチアの運河は透明度が増してゆったり泳ぐクラゲの姿がとらえられたりもしています。

佐藤　先ほど紹介しましたが、実はハラリ氏自身、日本経済新聞への寄稿で、「新型コロナの嵐はやがて去り、人類は存続し、私たちの大部分もなお生きているだろう。だが、私たちはこれまでとは違う世界に暮らすことになる」と書いています。

三月下旬、イスラエルの情報機関・モサドの元幹部から私に電話がありました。彼の話は興味深いもので「ポスト新型コロナ禍」の世界を考えるヒントになるのではないかと思います。

今、イスラエルの商都テルアビブの町は、外出制限のために食品や薬品の買い物や通院で外出している人以外、誰もいない状態だといいます。イスラエルは三月中旬には全世界から原則、入国禁止にするなど厳重な防疫体制をとっています。

国民に向けては、自家用車でやむなく外出するとき乗車できるのは二人まで、タクシーは後部座席に一人、公共スペースや職場などでは人と人との間隔を少なくとも二メートル空けるなど細かな制限が設けられ、違反者は刑罰に問われます。

罰則付きの外出制限は他国でも行われていますが、イスラエルらしいと私が思ったのは、新型コロナウイルス感染者のスマートフォンにハッキングして行動を把握するというものです。

侵入したスマホのGPS情報から、感染者がどこをどう移動し、誰に会ったのかがわかる。感染拡大の恐れがあると判断した場合、その人のスマホに警告を送るというのです。これは、議会の承認を経ず、ネタニヤフ首相の独断で行われています。

香山　感染者の居場所をアプリで周知させるというのは、いまや韓国などいくつかの国で行われていますね。それが感染拡大を防いだということで、日本でも早くそれを導入すべきだという声もあります。

佐藤　しかし、日本には法制度もなければ、技術的なシステムも不在なので実現不可能です。個人のスマホをハッキングする手法は本来テロリスト対策に使われるものです。イスラエルがそこまでしてウイルス感染を防ごうとするのは、第二次世界大戦時のゲットーの記憶があるからだと思います。

ユダヤ人の強制居住区域であるゲットーは、中世ヨーロッパに端を発しています。ナチス・ドイツにより建設されたゲットーは、環境の劣悪さに加え、収容所移送までの一時的な居住地の役割も果たしていたため衛生状態はきわめて悪かったといいます。とくに、ポーランドに設けられた最大のゲットーであるワルシャワ・ゲットーでは栄養、衛生状態の悪さから発疹《はっしん》チフスが流行し、餓死者も含め約一〇万人のユダヤ人が命を落としたといわれています。

今回、ウイルスの爆発的な感染拡大によって医療崩壊を招き、同じような事態が起きかねません。自国民に対する強権的な行動規制や個人情報の収集は、ゲットーでの悲劇を再び起こしてはならないという国家の強い意志の表れだと思います。

香山　心情的には理解できますが、それを肯定してよいのか。たとえば日本でも、あくまで自粛要請にとどまる政府に対して、「ロックダウンをしてでも感染を防ぐべきだ」と主張していたのは、実はいわゆるリベラル派に多かったのです。経済ではなく人命を優先すればこそ、ロックダウンすべきだと。でも、これは別の見方をすれば、「私たちの人権を制限してください。さあ早く！」ということですから、まさに矛盾しています。

佐藤　私は自粛要請というアプローチでいいと思います。国家の強権発動を認める法律をつくることは、日本の文脈では危険です。

ＥＵは崩壊する！

佐藤　もう一つ、その元幹部の話で興味を惹《ひ》かれたのが、新型コロナウイルスの感染拡大が、国際政治のパラダイム転換を促すのではないかという見通しです。

彼は、感染者が九万人、死者が一万人を超えたイタリアを例に挙げました。イタリアで感染が拡大し始めたころ、国境を接するスイス、オーストリア、スロベニアには比較的余裕があったにもかかわらず、イタリアを支援しようとしなかったというのです。

スイスの一部医療機関がイタリアの感染者を受け入れたものの、国を挙げて支援していたわけではありません。五月一〇日現在、スイスの人口は八五四万人なのに、感染者が三万人に達していますから、もはや他国の支援どころではなくなっていますが。

香山　スペインやイタリアはEUに見捨てられたとトルコに支援を要請し、トルコは防護服などを国産していたので、それを大量に送るなどかなり協力したと聞きました。そうなると、今後EUはどうなると思われますか？

佐藤　確実に変化します。国境の壁が高くなります。EUの理念に従うなら、隣接国はイタリアの患者たちを自国に受け入れなければならなかったはずです。ところが、彼らが選択したのは、固く国境を閉ざすことでした。その意味では、私は三月の時点でEUは終わったと見ています。

香山　ここ何年かの世界の大変動のきっかけとなったのは、私の中ではイギリスの国民投票が「EU離脱」を選択したことだと思っているのですが、ボリス・ジョンソンが首相になって、実際にはブレグジットはそれほどの混乱もなく実行されましたね。それを見たときも、EUにはそれほどの意味がなくなってきているのかな、と思いました。

佐藤　ヨーロッパは統合よりも分解の方向に進んでいます。

アメリカは二〇年遅れの「大世紀末」、ロシアは「日常茶飯事」

香山　今回の新型コロナウイルス感染症は最初はアジア、それからヨーロッパと地続きの大陸の出来事だったのに、あるときアメリカに飛び火し、あっという間にアメリカが感染者数、死者数とも世界のトップになってしまいました。ＣＮＮが「９・11の犠牲者と同じだけの数が毎日亡くなっています」と報じていたのが、あまりに印象的でした。その中で、トランプ大統領の初動の遅れやその後の迷走も指摘されています。

ロシアは、プーチン大統領が外出禁止をテレビで呼びかけたりしていますが、実際の感染の状況はよくわかりません。そのあたり、アメリカやロシアについての分析はいかがですか。

佐藤　まずアメリカについて言えば、国民が日常的にカタストロフィーを題材にした映画や小説などに触れていることもあって、未知のものに直面すると過剰な反応を示しがちです。たとえば、一九七〇年代にマイクル・クライトンのＳＦ小説『アンドロメダ病原体』が映画化され、大変な話題になりました。この映画は宇宙からやってきた謎の病原体によって人々がどんどん死んでいくというストーリーです。最近の作品だと、ダン・ブラウン[*7]の『インフェルノ』も感染症を題材にしています。アメリカ社会にはこうした刷り込みがあります。

しかも、アメリカ人はヨーロッパとちがって、世界の終わりを強く信じています。それだから、本来ならば一九九九年にやってくるはずだった「大世紀末」が、二〇年ほど時差をつけてやってきたと受け止められていると思います。

香山　なるほど。私はイギリスの作家ネビル・シュート*8が一九五七年に書いた近未来SF『渚《なぎさ》にて』（東京創元社）の原作も映画も大好きなのです。核戦争で北半球の人類が死滅し、たまたま被曝《ひばく》を免れたアメリカの原子力潜水艦スコーピオン号は、帰還できずにやむなくオーストラリアを目指す。でも、放射能汚染は次第に南下していきます。死は免れないとわかったとき、南半球の人たちはパニックを起こさず、配布される薬剤を用いて自宅での安楽死を選ぶこととし、それまではいつもの生活を送り、人生を楽しもうとするのです。でも、もしそれをアメリカ人作家が描くとなれば、そうはならなかったかもしれませんね。

佐藤　これと対照的なのがロシアです。ロシアは新型コロナウイルスに関して冷静な対応を行っています。ロシアではナチス・ドイツと戦った大祖国戦争（第二次世界大戦のロシアでの呼称）で三〇〇〇万人もの人々が命を落としました。レニングラード攻防戦の際には、食料が底をつき、猫や犬まで食べた経験があります。ソ連崩壊のときも大変な苦難を経験しました。そのため、ロシア人たちはいつ危機的状況が起こってもいいように食料を備蓄しており、畑も持っています。「あのときに比べれば、この程度のことがなんだ」というのがロシア人の標準的な反応です。

香山　ああ、むしろそちらのほうが『渚にて』の世界に近いかもしれません。人生を楽しんでいるとは言えないかもしれませんが、淡々と日常を送っているのだとしたら。でも、実はロシアも新型コロナウイルス感染症が蔓延《まんえん》しつつあり、それを報告しようとした医師ら三人が病院の窓からナゾの転落死を遂げた、といった相変わらずの話は聞こえてきますがね。いずれにしても、ロシア、シリアやレバノンなど中東の紛争地帯、そしてアフリカ諸国、さらには北朝鮮の感染の実態はまだよくわかっていません。

コロナ禍で日本に翼賛体制が復活する!?

香山　日本ではどうなるでしょうか。実は今回、私は医師として大いに反省しているのです。ちょっと自分の話をさせてください。私は二年ほど前から、今は週に一回、大学病院のプライマリケア科で再トレーニングを受けています。そこには元から熱があるのにその原因がわからない、「不明熱」といわれる患者さんなども多く訪れていました。感染症、膠原病《こうげんびょう》、悪性腫瘍《あくせいしゅよう》などその原因をある程度絞って、それからそれぞれの専門の診療科に引き継ぐ。それがプライマリケアの仕事です。新型コロナウイルス感染症が問題になってきた一月半ば過ぎからも、「熱が下がらない」といった患者さんたちがポツポツと訪れてきたのです。中には、「今流行ってるおかしなウイルス、あれじゃないでしょうか」と患者さん自らおっしゃることもありました。しかし、少なくとも私は、「そうかもしれませんね、ではPCR検査しましょう」と言ったことはありません。最初は「最近、中国に行きました？　お近くに湖北省から来た人はいますか？」と聞いて、「いいえ」と言われると、「じゃコロナの心配はないですよ」などと言っていました。

そのうち日本でも、渡航とは関係のない市中感染が報告されるようになってきました。でも、一月二八日に新型コロナウイルス感染症は指定感染症第二類となりました。これは感染している人を強制的に入院させられる、治療費は公費でまかなえる、といったものですが、同時に検査をするときはそのつど保健所に連絡し、採取した患者さんの検体を保健所に取りに来てもらい、そこから国立の機関に運んで……と、すべてが〝保健所マター〟となったのです。

二月ころは、まだ政府は予定通り東京オリンピックをやる気まんまんでした。そこで、横浜港に停泊したダイヤモンド・プリンセス号の乗員乗客は日本での感染者に加えないなど、「なんとか国内の感染数を減らしたい」という並々ならぬ決意が、なんというか、厚労省から保健所、そして臨床の場にまで、漂ってきたという感じだったのです。

今考えたら、まったくおかしな話なのですが、これほど社会に対して懐疑的な目を向けているはずの私でさえ、二月から三月にかけては、結果的には「検査抑制」に加担してしまいました。同僚たちと「検査しても結局、治療法はないわけだし」「保健所を介するから患者さんにも負担をかけるし」などいろいろな理由を考え出しては、「検査はしないほうがいい」と自分に言い聞かせていた感じです。メディアに登場する医者の中にも、「検査は感染拡大につながる」「検査は医療崩壊につながる」と、さかんに「検査の不必要性」を唱えている人たちがおり、それがある種の世論を形成していたともいえます。

その結果、日本は世界でも異常なほどＰＣＲ検査が少ない国ということになり、米英などからも不審の目を向けられています。幸いにして感染が爆発することはなかったのですが、それは決して「検査を抑えたから」などではない。むしろそれによって四月、五月になっても感染の本当の状況はわからず、科学的に出口戦略を描くこともできない状況に陥っています。患者さんたちにとっても、いたずらに不安をつのらせるだけで、「検査しない」のは何ら利益になりませんでした。私は本当に反省しています。

それ以上に怖いのは、政府はいまだにこの検査の遅れや極端な少なさの理由を「オリンピックもあって最初は増やせなかった」と認めることもなく、緊急事態宣言であいまいな自粛要請を続けるだけなのに、国民はそれに腹を立てることもなく、粛々と従っています。歴史の本で読んだ戦前戦中の翼賛体制もかくありなん、という感じです。

佐藤　歴史は反復するといわれますが、確かに香山さんの言うように、現在日本は日中戦争期の翼賛体制のような雰囲気になっています。翼賛とはもともと「天子（天皇）の政治を補佐する」という意味です。これは強制ではないという建前で、人々は自発的に最高権力者を支持し、行動することが期待されていました。その一方、期待に応えない者は「非国民」として社会から排除されました。あれから八〇年ほど経《た》ちましたが、いまの日本人の反応は当時と非常に似ています。これは日本の国民的特質と言ってもいいかと思います。

香山　安倍総理は会見で「敬意、感謝、絆《きずな》があればウイルスに勝てる」とまで言いました。そんな非科学的なことを言われたら、ふつうは「バカにするな」と激怒しそうですが、多くの人は「感動した」などと言う。そして、死活問題だからと自粛要請に従わずに営業している店を警察に通報する、「自粛警察」なる市民の動きも出てきています。

佐藤　いやな動きです。政府も無意識のうちにこの動きを利用しています。日本人の同調圧力を利用すれば、あえて法律や条例までつくる必要はないと考えているのです。

香山　繰り返しますが、私までが自分の状況を客観視することを一瞬でも忘れると、「検査はしすぎないほうがいい」などと、権力に加担するようなことを平気で現場で言ってしまうのです。自分までが同調圧力に負けていたのかと、何日も眠れないほどショックを受けました。恥ずかしい話ですが、そのあとストレスが大きな要因といわれる帯状疱疹《たいじょうほうしん》にもなったのです。

佐藤　それは大変でした。私も外務官僚時代にキツイ仕事が終わってしばらく経つと帯状疱疹が出ました。あれは痛いので厄介です。もちろん現状では自粛の要請は必要なことです。政府の対応が間違っているわけではありません。しかし、その過程で行政権が強大化していくことも見落としてはなりません。

その兆候はすでに表われています。たとえば、日本では治療薬に関して、徹底した動物実験や人による治験を行わなければ承認を得ることができないことになっています。これは本来、高度な専門家の管轄であって、政治が介入する問題ではありません。しかし、安倍政権は政治主導で薬の承認過程を短縮しようとしています。新型肺炎に対する治療薬がない状況では、これに異議を唱える国民は少ないと思いますが、この背景に行政権の拡大があることを忘れるべきではありません。

香山　その〝高度な専門家〟というのが、残念ながら政治的リテラシーのない人がほとんどなのです。彼らは「安倍総理に喜ばれたい」などと自覚しているわけではありません。しかし、まだ東京オリンピックは予定通りやる、ギリシャで採られた聖火が日本に到着しました、などとさかんに報道されている中で、専門家対策会議のメンバーに指名された人は、とても「どんどん検査して、まず感染の実態をつかみましょう！」などとは言えないと思います。万が一、それで感染が拡大しているとわかったら、オリンピックは開催できなくなる。それを恐れずに「検査を！」と言えたのは、ノーベル賞学者の山中伸弥先生や本庶佑《ほんじょうたすく》先生くらいでした。本当に象徴的です。治療薬アビガンの承認についてもそうですよね。専門家の側から「いや、ちょっと待ってよ。大丈夫なの？　今度だけだよね」などと言える人などいません。

佐藤　行政権の強大化は国民の監視や統制の強化にも結びつきます。しかも、この監視体制は新型コロナウイルスの脅威が去った後も継続する可能性があります。国家権力からすれば、未知の感染症に脅かされる恐れは常にあるため、国家の生き残りのためにも国民を監視し続けたいからです。

ハラリ氏が、「今回とった多くの短期的な緊急措置は、嵐が去った後も消えることはないだろう。緊急事態とはそういうものだ」と指摘したことは先に述べました。実際、イスラエルでは一九四八年の第一次中東戦争のさなかに緊急事態が宣言されましたが、いまだに緊急事態の終了は宣言されていません。今後、日本もイスラエルと同じような状況になる可能性は十分あると思います。

香山　安倍総理は五月三日の憲法記念日の日本会議サイド主催のオンラインイベントに登場し、「今こそ緊急事態条項を含んだ憲法改正を」と主張しました。その態度は一部から火事場泥棒などと批判されましたが、「緊急事態条項がなかったから対応が遅れた」と、自分たちの失態を逆手に取って、独裁体制を強化しようとしています。その〝抜け目のなさ〟はすごい。

コロナ禍が再燃させた黄禍論《おうかろん》

香山　さらに不安を覚えるのは、今回のコロナ危機を受けて、欧米諸国では、アジア人が差別を受けるという報道が見られることです。これはかつての「黄禍論」を思わせます。また過去の歴史をふりかえると、パンデミックを含めて社会的大事件が勃発《ぼっぱつ》したときには差別が一気に表面化します。関東大震災の朝鮮人虐殺もこうして起きたのでしょう。

佐藤　不安心理の中で、どの国でも人種主義的発想が出てきます。中国共産党中央機関紙の「人民日報」に掲載された論評が興味深いです。同紙は、米紙「ウォール・ストリート・ジャーナル」が新型コロナウイルス関連記事で「中国は真の『アジアの病人』」との見出しを掲げたことに、「人種差別的色彩を明らかに帯び」、「人間として守るべき一線を踏みにじった」と指弾しました。この報道に対して、当のアメリカではカリフォルニア大学バークレー校のキャサリン・ツェニザ・チョイ教授がこう同調しました。

「大手メディアがこのような考えを示すことで、世界にさらに多くの恐れと焦り、そして中国人その他アジア人に対する一層の敵意を引き起こしうる。これは極めて有害で間違ったことだ」

香山　アメリカの言論人の中にも反対する人がいることには救われますが、驚くべきことにその後、トランプ大統領自身が「ウイルスは中国の武漢の研究所から流出したものだ」と中国を標的に仕立て上げる発言を繰り返しています。また日本でも、櫻井よしこ氏や高須克弥氏、さらには自民党国会議員の山田宏氏が、執拗《しつよう》に「武漢肺炎」「武漢ウイルス」と表記し続けています。感染症に地名をつけて呼ぶことはやめるよう、ＷＨＯ（世界保健機関）が勧告を出しているにもかかわらず、です。

佐藤　国際常識に欠けた政治家がいるのは残念なことです。二一世紀の現在になっても、米国で黄色人種が世界に禍いをもたらすという黄禍論が存在するのは、とても危険です。なぜなら肌の色は自分で選ぶことができないからです。人種間戦争などという妄想にとらわれるのではなく、今は人種や民族を超えて、新型コロナウイルスとの闘いに勝利することが人類の共通の課題です。欧米諸国とアジア諸国がいがみ合っていても誰も得をしません。ウイルスという目に見えない敵を克服するために、人種や民族にかかわりなく、世界のすべての人の英知を結集していくことが重要です。こういうときに人種的憎悪を煽《あお》ることは、厳に慎むべきです。

香山　今回の新型コロナウイルス感染症への対応では、韓国が世界の模範となりました。早い段階でのロックダウン、徹底的な検査と隔離、そして陽性者への手厚いケア、経済再開。英語が堪能な外務大臣がCNNなどに何度も出演し、世界との連帯を呼びかけていました。しかし、嘆かわしいことに、日本は昨年来、嫌韓ムードが政権から民間にまで染みついているため、「韓国などとは協調できるか」とそっぽを向いたのです。先進的なドライブスルー式の検査を「日本でも導入すべきだ」という声も国内であったのに、「韓国などに追従できるか」とばかりにかたくなに取り入れることもなく、まさに差別や偏見が国を滅ぼしかねない事態を招いたことは、忘れてはなりません。

佐藤　ただし韓国でも第二波が襲うリスクがあります。韓国方式が成功だったと評価するのは尚早と私は考えます。

「優生思想」の台頭と「内面化」への傾斜

香山　ウイルスは差別しない、ともいわれます。人種や収入に関係なく、誰もが感染して命を落とす可能性は確かにある。国際的にもセレブや経営者で犠牲になった人もいます。しかし、その反動で、逆に優生思想が台頭するのではないかとも危惧《きぐ》しています。そんなに簡単に「誰もがコロナの前では同じ。だから同じなんだ」などと単純に考えるとは、とても思えない。

佐藤　もともと欧米社会には人種主義が根深く存在します。しかし、ナチスによるユダヤ人虐殺などから、人種主義は地中深くに埋め込まれました。それが今回のコロナ危機によって再び表に現われてきたということでしょう。

もっとも、人種主義や優生思想は欧米に限ったものではありません。日本でも優生思想が強くなっています。

一例を挙げると、生物学者の福岡伸一氏が新型コロナウイルスに関して、「病気は免疫システムの動的平衡を揺らし、新しい平衡状態を求めることに役立つ。そして個体の死は、その個体が専有していた生態学的な地位、つまりニッチを、新しい生命に手渡すという、生態系全体の動的平衡を促進する行為である」と言っています。福岡氏は頭が良いので表現に気をつけていますが、これは選ばれた個体だけが生き残るということですから、明らかに優生論です。

香山　イタリアなど感染が激烈だった地域の病院では、人工呼吸器の台数が限られているときに誰を優先させるか、といった議論も実際にあったようですね。

佐藤　福岡氏の議論はキリスト教（カルヴァン派）の「二重予定説」とも類似しています。予定説とは、神の救済にあずかる者と滅びる者は予《あらかじ》め選ばれているという考え方です。予定説に基づけば、神の意志はわからないので、誰が助かるかもわかりません。そのため、私たちにできることは、日々を一生懸命生きていくことだけということになります。

アルベール・カミュの『ペスト』にも、イエズス会のパヌルー神父がペストを前にして、人々が悔い改めることが重要だと説く場面があります。死がコントロール不能だという事実に直面すると、人々はどうしても宗教やスピリチュアルに接近していくのです。ハラリ氏も『21Lessons』の最終章で「瞑想」に言及していますが、現在のような状況が続く限り、人々が内面化していくことは避けられないと思います。

香山　感染拡大が始まったとき、山手線に乗っていると、モニターに映るビデオ広告が「世界に飛び出せ！」とか「その先に待っているものを求めろ」などと、先へ、外へ、と煽るコピーばかりなので、なんだか異世界の話を眺めるように見ていました。

誰も気づいていない『ペスト』の真のメタファー

香山　先ほど述べたように、私にとっては、今もって新型コロナウイルスは「渦中」の問題です。今はとにかくPCR検査の拡大を訴えて、同じ意見の医師と動画で情報を発信したり、非常勤医師をしている診療所のそばに医師会がつくったPCRセンターに手伝いに行ったりしています。そういうわけで、とても「終息後」を語る気分にはなれません。精神科医としては、長い自粛でうつ病に落ち込む人も心配ですし、もっと気がかりなのは、解雇や収入激減で自殺を企てる人が増加することです。この状況に向き合い、乗り越えていくために拠《よ》り所にすべきものとはなんでしょうか？

佐藤　カミュの『ペスト』の書き出し「この記録の主題をなす奇異な事件は、一九四　＊年、オランの街に起こった」の中にある「＊」が示唆していることに着目すべきではないでしょうか。

　そもそものエピグラフ（題句）に、「ある種の監禁状態を他のある種のそれによって表現することは、何であれ実際に存在するあるものを、存在しないあるものによって表現することと同じくらいに、理にかなったことである」とあります。

　これは、英国の作家で『ロビンソン・クルーソー』の著者であるダニエル・デフォー[9]の文章ですが、これを引用することでカミュは、『ペスト』がある種の寓話《ぐうわ》だということを匂《にお》わせています。

香山　寓話。感染症の話じゃないのですか。それはなんでしょう。

佐藤　ナチス・ドイツによるパリ占領の比喩《ひゆ》です。一九四〇年、フランスがドイツに敗北すると、フランス北部はドイツの直接占領下になり、フランス南部には親ナチスのヴィシー政権[10]が成立しました。連合軍がフランスを解放する四四年までヴィシー政権が続きます。このヴィシー政権とナチス・ドイツに抵抗したのが、イギリスに亡命したシャルル・ド・ゴール[11]を中心とする亡命政府「自由フランス」でした。フランスの植民地だったアルジェリアは亡命政府の拠点でもあったのです。

『ペスト』が発表された一九四七年の時点では、植民地アルジェリア・オランの閉鎖空間と、そこで流れた時間は、ナチス・ドイツによるフランス占領期の寓意として読まれたと思います。

香山　日本で『ペスト』の翻訳版が刊行されたのは、一九五〇年のことでした。

佐藤　そうですね。終戦から五年後でした。そのとき読者は、太平洋戦争中の重苦しく、死が日常的だった期間と重ねて読んだのでしょう。

二〇二〇年の現在、『ペスト』は文字通り、感染症と人類との闘いというまったく新しい文脈で読むことができます。そのポイントが「奇異な事件」が起きた年を「一九四＊年」としたことにあると思います。最後の数字を「＊」とすることで、物語を具体的な時間に押し込めなかったのです。その結果、『ペスト』は普遍性を帯び、その後の時代のさまざまな局面で読まれることになったのだと思います。これはカミュの天才的な手腕だといえるでしょう。

香山　そこまでは思い至りませんでした。年代の「＊」もそうですが、主題である「ペスト」も字義通りの疫病ではなく、メタファーだったというわけですか。もちろん、そこには疫病も含まれるのでしょうが、「不条理」な出来事に突然、巻き込まれるということ。いまだと逆に、「天井のない監獄」といわれるパレスチナのガザ地区を連想します。

そういえば、私は北海道パレスチナ医療奉仕団という、一〇年以上ガザの医療支援を行っている医師グループと親しくしていて、いよいよ今年の秋は彼らといっしょにガザで医療活動をする予定だったのです。私にとっては、それは人生を変える出来事になるかも、と予感していたのに、今となってはそれもどうなるかわからない状況となってしまいました。そして、ガザでもコロナが蔓延しつつあるとも聞いています。「ペスト」の状況でさらに「ペスト」に襲われる。こんな不条理なことがあってよいのか……。

佐藤　新型コロナウイルスの感染が世界的に深刻さを増し、日本においても感染拡大の阻止が急務だと誰もが感じ始めた三月下旬、ふと、こんな状況で政争をしている国があるのかと疑問に思い、調べてみました。

すると韓国と日本だけが政争を続けていたのです。他の国は政治休戦をして新型コロナウイルス対策に乗り出しているというのに、この機会に政権党を引きずり下ろそうとしている。日本の国会では年明けから安倍首相の「桜を見る会」に関する疑惑が再燃し野党の追及が続いていました。三月下旬、森友問題で公文書改ざんにかかわり、それを苦に自殺した近畿財務局の職員だった赤木俊夫さんの遺書が公開されました。

いずれも非常に深刻な問題です。徹底的に真相を究明すべきだと思います。実際、野党は追及を始めましたが、国民の関心は日を追うごとに新型コロナウイルスの感染拡大に集まり、赤木さんの遺書が露わにした問題は、すっかりかすんでしまいました。

野党は、新型コロナウイルス対策が落ち着いてから真相を追及すると表明して、「政治休戦」にすればよかったのです。

野党には、カミュが時間をコントロールし、物語に普遍性をもたらすことにした「＊」のような仕掛けを、効果的に用いるという「政局勘」がまったくなかったようです。

香山　赤木さんの遺書とそれをめぐる記事は本当に衝撃的でした。精神科医としてショックだったのは、うつ状態となり休職中の赤木さんに、主治医から止められていたにもかかわらず、検察から事情聴取の電話がかかってきて、それ以来、赤木さんの病状が一気に深刻化した、というくだりでした。私が主治医だったら、「どうして検察を止められなかったのか」と自分を責め、医者をやめたくなるでしょう。そのとき赤木さんに電話をした検察の担当者は、いまどうしているのでしょう。良心が痛むことはないのか。『週刊文春』はコロナ禍の中でも辛抱強く報道を続けていますが、久々に見たジャーナリズム魂のようなものが、赤木さんのためにも報われることを願っています。

まだまだ語り残したことはありますが、おかげで私たちをとりまくさまざまな「不条理」を読み解く手がかりを得ることができました。カミュにならえば不条理にかかわる「＊」です。それでは、これを手がかりに、対論を進めていくことにしましょう。

＊1　**ユヴァル・ノア・ハラリ**　イスラエルの歴史学者（1976年〜）。ヘブライ大学歴史学部終身雇用教授。主な著書に『サピエンス全史：文明の構造と人類の幸福』（上・下）（河出書房新社・2016年）『ホモ・デウス：テクノロジーとサピエンスの未来』（上・下）（河出書房新社・2018年）がある。

＊2　**アルベール・カミュ**　フランスの作家・劇作家・哲学者（1913〜1960年）。主な著作に『異邦人』（1942年）『ペスト』（1947年）などの小説、およびエッセイ『シーシュポスの神話』（1942年）などがあり、「不条理の哲学」で知られる。

＊3　**マーク・フィッシャー**　イギリスの批評家（1968〜2017年）。主な著書に『資本主義リアリズム』（堀

之内出版・2018年）があり、ヨーロッパで大いに脚光を浴びた。

＊4 スラヴォイ・ジジェク スロベニアの哲学者（1949年〜）。リュブリャナ大学社会学研究所教授。最近の著作に『絶望する勇気——グローバル資本主義・原理主義・ポピュリズム』（青土社・2018年）がある。

＊5 HUAWEI研究所 中国深圳市に本社を置く世界有数のICTソリューションプロバイダー「HUAWEI」が北京に設立した研究開発センター。5G技術で世界をリードする。

＊6 ミシェル・ウエルベック フランスの作家・詩人（1958年〜）。現代フランスを代表する作家で、その著書『服従』（河出書房新社・2015年）は、本書の著者・佐藤優が解説を書いている。

＊7 ダン・ブラウン アメリカの小説家（1964年〜）。『天使と悪魔』（2000年）『ダ・ヴィンチ・コード』（2003年）『インフェルノ』（2013年）などの著作があり、その多くが映画化されている。

＊8 ネビル・シュート イギリスの小説家（1899〜1960年）。作家になる前は航空機メーカーでエンジニア兼パイロットとして働いた。主な著作に『渚にて』（1957年）『パイド・パイパー』（1942年）など。

＊9 ダニエル・デフォー イギリスの作家（1660〜1731年）。『ロビンソン・クルーソー』の著者として有名。『疫病流行記』（現代思潮社）『ペスト』（中公文庫）などの著書もある。

＊10 ヴィシー政権 第二次世界大戦でドイツに敗れたフランスが中部の町ヴィシーに置いた戦時政権。対独協力を義務付けられ、ペタンを国家元首として、1940年から1944年まで続いた。

＊11 シャルル・ド・ゴール フランス第18代大統領（1890〜1970年）。元フランス陸軍軍人。第2次世界大戦中にイギリスに渡り、「自由フランス」を組織してレジスタンス活動を展開、1944年にフランスへ凱《がい》旋《せん》帰国。同年臨時政府の大統領となり、いったん退くも1959年に再び大統領に就任した。

第 1 章

私たちの
ポストモダン体験

戦後民主主義に染まって

佐藤　まずお互いの思想的な出発点、青春時代をふり返ってみることから始めましょう。香山さんは戦後民主主義の影響下にあると自覚していますか？

香山　私は北海道小樽育ちですから、公立学校では教職員組合の北海道教職員組合が強い時代で、小学生のころなど朝から戦争反対の歌を歌わされたりしました。しかも小樽は小林多喜二[*12]の出身地とあって、彼が拷問死した話などを繰り返し聞かされ、「ああいう自由を抑圧する時代は二度とあってはならない」と、先生にしょっちゅう言われていましたね。小学生の低学年なのに、です。

でも、私は冷めていましたから、影響はそれほど受けなかったつもりでしたね。

佐藤　時が下って、一九七二年のあさま山荘事件[*13]のとき、ずっとテレビ中継を見せられませんでしたか？

香山　というより、家族で興味を持って見ていました。

佐藤　あれを見て、やっぱり過激派[*14]はひどいと思いませんでしたか？

香山　思いましたが、彼らがそこに至る心理に、子どもながらに興味を持ちました。

佐藤　機動隊対活動家ごっこをやらなかったですか？

香山　それはさすがに……。

佐藤　僕は小学校時代にそれをやった。小学校は社会の縮図で、大宮市には自衛隊の駐屯地があるから隊員の子が多いわけです。それと、警察学校がある。自衛官と警察官の子どもたちは機動隊側を選びます。ところが、団地に住む圧倒的多数の子どもたちは学生の側を選ぶわけ。人造のちょっとした小山があって、そこで陣地の取り合い合戦をやるんだ。おもしろかった。

香山　ずいぶん社会的ですね。私は弟とウルトラマンごっこばっかりでした。

佐藤　もちろんウルトラマンごっこもしました。だけど、あのあさま山荘事件を機に機動隊が正義の味方になって、活動家を希望する児童がいなくなり、機動隊対活動家ごっこは成り立たなくなった。何しろあのころは、学校であさま山荘のテレビ中継を全部見せていました。あれは、ただ何となく見せていたのか、それとも教育委員会あたりが見せたほうがいいと言ったのか、よくわからない。

香山　でも、あのころは長時間中継というのは結構ありましたよ。ほかに楽しみがなかったからかもしれない。[*15]よど号事件も見たし、金嬉老《きんきろう》[*16]の立てこもり事件とか、延々と見ました。

佐藤　でも、「金嬉老事件」とか「よど号事件」は学校では見せなかったでしょう？

香山　そうだったかな。話題にはなりました。

佐藤　なぜ学校でテレビ中継を流したのか、いまだに謎なんだけれど、教育委員会なり、それこそ日教組なり、その連中の発想じゃないかと思うんです。要するに反過激派、[*17]反トロツキストキャンペーンだったのではないか。

香山　それなら、教育委員会と日教組は手を結べる。

佐藤　そう、そう。子どもを過激派にしてはいけないと。だから、反トロツキストということで、組合のほうも社会党左派にしても、共産党ももちろん、それと教育委員会が手を握ってやったことじゃないかなと。あれは、僕の心象風景に非常に大きく影響しましたね。あの三日間の中継の後、子どもの遊びが完全に変化した。

香山　その人たちは今五〇代ですね？

佐藤　もう還暦に近い。五〇代前半より若い人たちは見ていないと思う。だって、そのときは幼稚園ですから。

香山　そこが一つの世代的分岐点なのでしょうか。

佐藤　そう思います。それから、幻の昭和六〇年代、一九八五年から九五年の一〇年間、日本にいた人と、そうじゃない人では、何かちがうと思うのです。

僕は、どっちかというと自分より上の世代の人と波長が合います。あるいは、ずっと下のほうの世代と議論が嚙み合う。その理由は、皮膚感覚でバブル経済を知らないからです。

香山　私は八〇年に大学に入り、まさにそのときが青春だし、八〇年代後半から九〇年代前半の精神科医としての修業時代に単行本デビューもしました。その時代がいちばん印象的です。

佐藤　僕はあのころのポストモダンの嵐を全然受けていないから、そこが完全に空白になっているわけですよ。それだから、同世代が小泉純一郎旋風や今の日本維新の会に引きずられるというのは皮膚感覚としてわからない。でも、その皮膚感覚としてわからないというのは、外務省であの時期に外国に出ていた人たちに共通していることなんです。だから、あの世代の外交官がちょっと変わっているのは、日本であった大きな変動を皮膚感覚として共有していないからなんです。

香山　ほぼ同世代でも、その前の時代に親和性があるか、まさに八〇年代に思い入れがあるか、ずいぶんちがいますね。

佐藤　そう思います。しかも、意識の領域じゃなく無意識の領域に入っちゃっている。

香山　無意識の領域に。それはおもしろいですね。

佐藤　話が前後するけれど、あさま山荘事件の坂口弘[*18]は僕が東京拘置所にいたとき、隣の房だった。だから、あの事件が僕には他人事《ひとごと》とは思えない。

香山　隣だったんですか。

佐藤　そうです。坂口のお母さんとはその縁があってずっと文通をしていた。僕は坂口との接見が認められませんでしたからね。

香山リカの少女時代

佐藤　話が少しそれちゃったけど、香山さんは闘う精神科医というイメージが強い。でも、立派なのは臨床医をずっと続けていることですよ。作家、大学教授、そして臨床もやる。それと、香山さんの強みはストイックなところです。

香山 ストイックとは思いません。むしろ欲張りで、ちょっととっちらかってますよね。でも、そう言われると悪い気はしない（笑）。

佐藤 僕の理解では、非常に禁欲的で正義感が強い。本当にマックス・ウエーバー[*19]の『プロテスタンティズムの倫理と資本主義の精神』に出てくるような勤勉さがあります。

香山 私は一九六〇年生まれで、本当に高度経済成長という時代の恩恵を受けて育ったという思いがあります。あさま山荘の話がありましたが、私にとっては、新幹線の開通や浜松町の貿易センタービル、あるいは七〇年万博とか、子ども時代は本当に伸びゆく日本というイメージしかなくて。

佐藤 それと、もう一つ重要なのは、やっぱり東京学芸大附属高校に学んだことだと思います。あそこの学校は学力的に頂点ですよね。

香山 それも親が教育にはおしみなくお金を出してくれたから。そういう意味では恵まれているんですね。実力や努力ではなく、偶然の運なのです。精神科医になってみて思ったのは、世の中ってなんて不条理なんだろうと。私なんかよりも「地頭」がいい人はいくらでもいるのに。

佐藤 いや、香山さんは「地頭《じあたま》」もいいです。それに加え、学芸大教育がプラスの方向に生きた。

香山 そうなんですか。それって教育の効果なんですか。

佐藤　教育の効果はあると思います。往々にして田舎の秀才って怖いですからね。田舎の秀才というのは、自分が宇宙でいちばん頭がいいと思っている。香山さんはそうじゃない。田舎の秀才型ではない。

香山　私、小学生のときにプロテスタントの教会の教会学校へ通っていたんです。英語を教えてくれた近所のお姉さんに誘われてね。その教会で、謙遜の姿勢みたいなものを教えられたのは大きかったです。あなたがいちばん偉いわけじゃないって。

佐藤　いちばん下に見える人が、いちばん偉い。

香山　その通りです。それに父親は産婦人科の開業医でしたから、何となくそばで、仲の良い夫婦の子どもが死産だったという話や、望まない妊娠で中学生が受診したという話も耳にする。人生って不条理だなと思いました。

佐藤　多感な少女時代に、そんなふうにいろんな体験をしている。多感なんだけど、単一な価値観ではない。当時はまだ旺文社《おうぶんしゃ》の模試なんかもあったけど、そこで一桁《ひとけた》の成績に入るのが人生の目標だとか、そういう感じにはならなかったでしょう？

香山　まあ、そういう世俗的な考えはありませんでした。そのころは宇宙の果てはどうなっているかとか、哲学的な疑問にとりつかれたりしていました。

　でも、こんなことを言うことに罪の意識はあるんです。私だけ恵まれちゃって申しわけないみたいな。

佐藤　同時に、何か極端に外れることはできないというのはよい子だったと思う。以前、おっしゃってましたよね、最初は理学部に行こうとしたんだと。

香山　そうです。中学生時代は理系少女で、天文学や海洋学、SFなどを読みふけっていたんです。当然私は、そういう方向に進むとばかり思っていたから、文学とか哲学とかは趣味程度にかじっただけでした。

それで、私は東大の理科Ⅱ類を受けたんですが、これが見事に落ちたんですよね（笑）。まったく予想もしてなかっただけに、そっちの門戸は閉ざされてしまったと思い、茫然自失。もう世の中真っ暗、人生終わったみたいに落ち込んでいました。

佐藤　香山さんは理論的なところに関心を持ったのだけど、結局医学を選ぶというあたりが、やはり完全に外れることはできなかったということで、そのへんがおもしろい。

佐藤優の学生時代〜民青と新左翼そして共産党

佐藤　僕はドロップアウトはしたけど、でも完全にドロップアウトしきれないあたりが限界です。今思うと同志社大学の神学部に行ったんだから、もう少し学生運動にのめりこんで、面倒くさい外国留学なんか望まず、思い切り暴れて、八年ぐらい大学生をやって、それで卒業できなくなってどこかの牧師をやっている。それぐらいまで踏み外す肚《はら》がない。本質において小心者なんです。

香山　牧師には、本当におもしろい経歴の人もいますね。私の知り合いの牧師にも、ヤクザ組織の準構成員だったとか、仏教の寺の跡継ぎだったのに出奔したとか、いろいろな人がいます。

佐藤　おもしろい経歴の人もいるし、おもしろそうに見えて実際は大したことないのもいる。ろくな成績じゃないのに、学部のブランドだけでどこかの大学の先生の仕事にありつきたいと思っている。それでうまくいかないと、にわかに牧師になって、あちこちでトラブルを起こす。そういう牧師の説教を聞くと、限りなく無免許運転に近い。そんな輩《やから》がいくらでもいるから、あまり理想化して牧師を見ないほうがいいと思います。

香山　そうなんですか。求道者の私にはやはり〝師〟です。世俗の縮図ですね。

佐藤　牧師は職業的に舞台裏を見せない。でも、親しくなってその舞台裏を見ると大体よく似ているなと。世間が思うほど、評価できる生き方をしているわけではない。

そこへいくと、香山さんはちがいます。非常にユニークなポジションを持っている。闘い続けることができるエネルギーがある。いつも不条理に立ち向かう。そこがおもしろい。

不条理を見ていたらどうやってそこにうまく巻かれるかと考えるのがふつうの人。ただ、どうにも巻かれきれないときが時々ある。

香山　ごまかしきれないということですか？

佐藤　そう、たとえば僕にとっては、野良猫の存在は出会いたくない不条理なわけです（笑）。道で、猫の声が聞こえたりしたら極力そっちの道には行かないようにする。僕の家には今七匹の猫がいるけど、みんな道で出会ったのを拾ってきた。別に猫を求めて歩いているわけじゃない。極力逃げて歩いているんだけれど、それでも七匹も遭遇してしまった。遭遇してしまった以上はやっぱり一緒に生活しなきゃいけないからね。

香山　でもよくそんなに遭遇しますね。私は道端で出会って拾ったネコは一匹だけです。本当はそうやってもっと出会いたいのですが。

佐藤　だから場所と出会いというのは結構重要なわけです。学生生活が京都だったというのは、意外に重く僕の思想に影響している。香山さんのもう少し年上の世代は、共産党に対する拒否反応が強いと思う。僕には、その感覚がわかる。

それは、狭い京都で、共産党と対立する新左翼が僕のわりと近いところにいたから。僕がもし、学生時代に東京にいたとしたら新左翼とはほとんど接触がなかったと思う。

一九六〇年ぐらいの生まれで、一九八〇年代に東京で学生生活を送るときに新左翼系のところに出入りしたら、それはおそらく社会を降りるということに限りなく近かった。とくに、中核と革マルあるいは革労協[20]、この三つの新左翼党派に入るというのは、多分地下生活に近いことになるから勉強どころじゃない。

ところが、関西では時々中核派が暴れて相手の両足をバールで折るぐらい。その程度の暴力だったから、命までは持っていかれない。共産党も負けてはいない、あのころの民青[21]の怖さ、暴力性を僕は肌で知っている。

香山　私にはまったく無縁の世界ですね。私が大学に入ったのはそういう風がすっかりおさまったころで、いわゆるシラケともちがうオモシロ主義のようなものが蔓延《まんえん》していた。価値相対主義ですね。どこにも与しないで、おもしろいかどうかで優劣を判定する。

佐藤　それはともかく、僕と香山さんとでは、同じ年ぐらいに生まれているのに見える風景がちがう。これは、まず、京都と東京という学んだ場所のちがい、それとポストモダンの嵐の時代に僕が外国にいたこと、それに僕はバブルも経験していない。この差は大きいと思います。たぶん、このちがいがなかったら、二人の間にあまり議論の差異は出ないと思う。

ポストモダンの洗礼

佐藤　さて、それでは互いのポストモダン体験を話していくことにしましょうか。香山さんは、ある意味、ポストモダンの申し子みたいな印象があります。

香山　確かに、そう思われてもしょうがない（笑）。私も今回、あらためてあの時代に何が起きていたのかを雑誌などを読み返しながらいろいろ思い返してみたんです。そうすると、やはりあの一七〜一八年間、思想的なポストモダン、具体例としてはいわゆる西武文化的[*22]、つまり糸井重[*23]里的な価値相対主義、そして文化戦略としての消費の記号化というのが大きな波として起きたというのがよくわかった。

あの時代に、自分の中でもいろんな価値観がすっかりバラけてしまって、事象を歴史的に考えるとか、それこそ戦前からの問題として考えるとかいう継続性がすっかり切断されちゃったんです。

それで、その空白の十数年くらいが、個人的にも社会的にも、ものすごく罪が深いと私は思っていて、そうこうするうちに、まぁいろいろ小林よしのり的なものが社会に生まれてきたんじゃないかと。すごく単純なストーリーなんですけど。

佐藤　その基本認識はまったく一緒です。そこで聞きたいのは、香山さんは僕と同じくらいの世代でしょう。その前の、ポストモダンが入ってくる前の、基本的な自分のツールは何でしたか？

香山　私は、とてもわかりやすい。前にも言ったように東大を落ちて、沈んでいた時期が、だいたい七〇年代後半から八〇年代くらいで、日本がポストモダン的な思考に覆われたときでした。

一九七五年に、知っている人は少ないと思うけど、『エピステーメー』[*24]という、ポストモダンの哲学を特集する雑誌が創刊されています。別冊のジル・ドゥルーズ[*25]の『リゾーム（地下茎・根茎）』が出たのもこのころでした。表紙がシルバーで本当にかっこよかった。アレクサンドル・コジェーヴ[*26]の「ヘーゲル的なイデオロギー闘争の歴史は終わった」とか、「切断された突発的なアクシデントとしていろんな物事が起きている」とか、とても新鮮な響きがあったのね。

あぁ、そうか、そんな積み上げとか、知の集積とか、権威主義とかいう時代は終わった。東大に行けなかったらもうダメという権威主義、そういったものから解放されていいんだみたいな、何か個人の救済みたいなものとして、あのころのポストモダンがあったわけです。

佐藤　なるほど。

香山　ジャン＝フランソワ・リオタール[*27]の『ポストモダンの条件』は、七九年なんです。「ポストモダンとは大きな物語の終焉《しゅうえん》である」と。それからコジェーヴの「これからはいわゆるツリー状の体系的なイデオロギーとか学問というのは終わって、高度情報社会の中ではメディアによる記号・象徴の大量消費が行われる」と。まぁ今思えば、本当に軽いんだけど、「あ、これだ」みたいなノリでした（笑）。

佐藤　ジャン・ポール・サルトルは読まなかった？

香山　読みましたよ。アルベール・カミュとかサルトルは高校のときに。教養として読みましたね。

佐藤　カール・マルクス[*28]は？

香山　読まなかったですね。そういうのは古い、新しいところからかじってOKというのがポストモダンですから（笑）。

佐藤　あと、ジョン・デューイ[*29]とかウィリアム・ジェームズ[*30]とかは？　プラグマティズムの。

香山　真剣には読まなかったですね。それも教養として「倫理・社会」の教科書に出てきたから、ちょっとかじったという程度で。

佐藤　僕は同じ世代だけど、読む本がかなり古いです。

ポストモダニズムと聖書学

香山　それは誰かの薫陶で？　それとも自分で見つけたんですか？

佐藤　やっぱり周りの感じがそうだったんだろうと思います。強いて言えば、伯父の上江洲智克[*31]です。社会党の兵庫県会議員だった。

香山　そういうことってありますよね。

佐藤　マルキストの伯父は僕にとっては偉大な人でした。兵庫県で沖縄県人会をつくった人です。当時の僕の思想のベースとしてはマルクス。でもやはり当時はマルゾン（マルクス＋実存）主義ですけどね。社会構造はマルクスで、個人の問題の解決は実存主義。でも、サルトルよりはカミュに惹《ひ》かれました。

香山　私もカミュは読みました。中学生のときに夢中になった。

佐藤　『ペスト』とか、『シーシュポスの神話』とか、おもしろかった。

香山　ええ、おもしろかったです。

佐藤　あとは、やはりジェームズやデューイとかです。ジョン・デューイのプラグマティズムも魅力的でした。物事は役に立たないといけないと。それ以外も当時の大学生たちに人気があった本については、真面目《まじめ》に読んでいたと思います。

香山さんは東大を受けて落ちたと言ったけど、実は僕も、受かる可能性はまったくないのに、東大の文Ⅱを受けた。やりたいのは経済哲学だったから、本当は東大にそれほど行きたいと思わなかった。というのは浦和高校に教育実習でやって来る東大の学生で、魅力的な人がほとんどいなかったからです。

香山　ほんとですか？　意外です。

佐藤　なんちゅう俗物だと。それから社青同協会派[*32]で学生運動をやっている人たちにも東大生が多かったが、就職のことでビクビクしていた。もし教師になれなければ、どうやって鉄鋼労連とかの大手労組に潜り込むかということばかり考えている。とても真面目に革命を考えているとは思えなかった。

もしかしたらお知り合いかもしれないけど、元東大ブント[*33]の長堀祐造[*34]氏。われわれより少し上の世代だと思う。

香山　残念ながら知りません。

佐藤　莫言[*35]の翻訳をした人。今は慶應の経済学部の先生になっている。彼ぐらいです、浦高の教育実習に来た中でおもしろいと思ったのは。おもしろい人がいない大学って、あまり魅力ないんですね。

香山　直接、会う人の影響は大きいですよね。

佐藤　じゃあ、おもしろい人はどこの大学にいるかというと、それも見つけられなかった。そうすると、残る選択肢はおもしろい学問ということになるんだけど、それはやはり哲学か神学をやりたい。その思いが強くなった。

それで関西に行ったら、そこはまた閉鎖的な環境だし、神学は哲学の衣で話すから、哲学をやらないといけないし、語学も古典語が必要になる。だから、一年目の夏休みに本格的に神学の勉強をしようと思ってまずやったことは、テレビと小説を捨てること。

香山　それはまた極端ですね。私は中学までテレビのドラマを見てはいけない、という環境で育ったので、高校と大学の一人暮らしの間はテレビの恋愛ドラマやミステリードラマを見放題でした。今思えばもっと本を読めばよかった。

佐藤　私は大学と大学院時代はテレビなし、小説なしで基本的に暮らした。それで、社会的なことで関心を持ったのは、韓国でした。とくに韓国はある時期まで現地に行ったりもした。神学部の先輩が捕まっていたからです。ただ、それと同時に、とにかく神学的な関心が強くなった。

香山　まったく私は逆ですね。そっちを掘り下げるよりも、ポストモダンのほう。八一年くらいに丸山圭三郎[*36]がフェルディナン・ド・ソシュール[*37]の思想を日本に紹介しているんですが、「記号表象と同様、記号内容は記号システムの部分である」とか「世界が言語の秩序を求めているのではなく、言語が世界の秩序を決定している」というソシュール流を懸命に理解しようとしていた。

それと、八一年に田中康夫[*38]氏の『なんとなく、クリスタル』が出た。自分の著作の中で何度も言及したことがあるのですが、「岩波文庫を読んだときの感動と、ルイ・ヴィトンのバッグを手にしたときの感動は等価」なのだと。

それで私は「同じこと言ってる！」と興奮しちゃって。どっちが偉いとか、どっちが素晴らしいとかじゃなくて、フラットなんだということですね。それと、先ほどちょっと言ったけど、糸井重里さんの有名な西武百貨店の宣伝コピー「おいしい生活」。高価なものがいいとか立派なものがいいとかじゃなくて、好きなものだから好きなんだと。物の価値は値段とか歴史、ブランドで決まるものではなく、自分が好きかどうかで決まるという「フラット化」、「価値相対主義」ですね。何かそれまでの、いわゆる佐藤さんが好きだったような世界からの解放……。

佐藤　僕はソシュールではなく、スターリンの言語学論文を精読しました。今になって思うと、ソシュールを粗雑にしたような内容でした。

今は作家になった神学部の同級生で、ソシュールを熱心に読んでいた女性がいた。僕は彼女の影響を受けて読んだのだけど、何だ、これはスターリンの『マルクス主義と言語学の諸問題』と構成が一緒じゃないかと。ソシュールは偉い偉いとみんなが騒ぐけど、スターリンの言語理論と一緒じゃないかと。実際そうなんですね、ソシュール言語理論というのは。

香山　ソシュールは「田中康夫と一緒だ！」と思いましたが、スターリンは想像しなかったです。同じ本を読んでも感じ方が全然ちがいますね。

佐藤　だから、スターリンの本を彼女に貸して、議論をしたりしていた。それで今思い出したんだけど、藤代泰三[*39]という歴史神学の先生がいて、アルバイトをさせてくれるという。それは何かといったら、ウンベルト・エーコ[*40]の記号論を講義に使うから、赤線をつけた部分を書き出して、全部カードにしろ、それでかかった時間を申告しろと。そうしたら、一時間あたり五〇〇円出すからと。

でも今になってみると、あれは先生の親心で、そうして記号論の勉強をさせてくれたのです。当時の神学部の先生はそういうところがあったわけです。

香山　私は医学部だったし、そういう出会いはなかったですね。医学部はとにかく全授業必修で、空いている時間もなく、小学校以来の一限から五限あるいは六限まで講義や実験、実習が詰まっているという毎日で、マシーンみたいでした。だからこそアフター5は、自分の解放も目指してポストモダン哲学の世界に逃げたのでしょうね。それにしても、その歴史神学の先生は粋な方ですね。

佐藤　そうなんです。佐藤は頑固だから言っても聞かないだろうし、アルバイトでノートづくりをやらせようと。そういう形で勉強に追い込んでいった。だから僕はとても感謝しているんです。現にそれからはエーコに関心を持つようになったもの。『薔薇《ばら》の名前』、最近の『プラハの墓地』。

それは藤代先生がそのバイトをくれなかったら読まなかった。

香山　佐藤さんはメディアを介してではなく、直接的にいい出会いを経験されてますね。

佐藤　それで僕らのときのいちばんの衝撃というのは、やっぱり「浅田革命」ですよ。

香山　八三年ですか、浅田彰[*41]さんの『構造と力——記号論を超えて』が出たのは。

佐藤　その本を紹介してくれたのは、僕の指導教授で旧約聖書学の野本真也先生。野本先生が、『構造と力――記号論を超えて』の中にあるこの考え方は、これから主流になると。

香山　私は当時、音楽を通じて親交のあった細川周平[※42]さんから浅田さんの存在を知らされました。

佐藤　これは聖書学ですかと僕が訊くと、ポストモダニズムという考え方があると。「この世の成り立ちはすべて『揺れ』からできていると見ているので、世界観としては量子力学と似ている。その聖書学でも使っている方法を、日本語にうまく翻訳できている。この著者は非常に頭がいい」と紹介されて、『構造と力――記号論を超えて』を読みました。

香山　そこも、私とちがいますね。私は〝今流行《はや》っているから〟という感覚で手に取りました。

香山リカのポストモダン体験

香山　浅田さんは京都の人ですが、東京にいる私もちょうどそのころ、時代の空気を吸って急激にポストモダンっ子みたいになって（笑）。

佐藤　そのポストモダンっ子になることが香山さんのある時代の自己史に色濃く関係するわけですね。

香山　とっかかりは、いわゆるサブカル雑誌の編集を手伝うようになったことですね。それも、今思うと子どもっぽいんだけど、編集方針として有名大学や高名な教授は相手にしない。そういう先入観を取っ払うと。そのころの立役者的な人が文化人類学者の山口昌男さんだった。

佐藤　当時、東京外国語大学の教授でした。

香山　彼が、「学際的」とか「知のサロン」ということを標榜《ひょうぼう》して、いろんな人を出会わせる場をつくった。私は山口さんのサロンに出入りすることはなかったんだけど、そこに浅田彰さんも出入りしていたと思う。で、同じメンバーの細川周平さんの『ウォークマンの修辞学』という本が出たのが、八一年。

　彼は音楽好きで、サブカル雑誌がすごいアングラな音楽レコードをつくるときに外国語のナレーションを入れてくれた。今なら大学の先生がパンクバンドのナレーションをやっても誰もびっくりしないけど、当時はまだ棲《す》み分けがありましたから、「えッ!?」という感じですよ。そんな行き来がすごくあって、その場に私はいたんですね。

佐藤　それが、やっぱり楽しかった?

香山　楽しかったですね。それで、細川さんに私のいる東京医大の大学祭で講演してほしいと頼んだことがあったの。すると細川さんが、「僕ね、イタリアのボローニャに留学しちゃうからできないんだけど、僕の知り合いでちょっと頭のいいやつがいるから、そいつに頼んだらいいよ」と。それが浅田さんだったんです。

　そのころ浅田さんはしょっちゅう東京に来ていて、六本木の「WAVE」の最上階にあったサロン「SEDIC」に出入りしていた。「WAVE」はご存じですか?　映画館とかCDショップが入っていたサブカルチャーの拠点みたいな施設。

佐藤　知らないです。

香山　「WAVE」は、一九八三年にオープンし一九九九年にクローズした、旧セゾングループの「音・映像」に特化した商業施設です。そこの最上階にあった「SEDIC」は、音・映像の制作プロダクションなのですが、当時は堤清二氏の腹心のアート系の社員やクリエイターの実験的なスタジオ兼サロンという感じでしたね。その後、世界的ゲーム・ポケモンをつくることになるゲームクリエイターやプロデューサーもここの出身です。

そこに浅田彰さんも頻繁に京都からやって来て、私のようなサブカル女子大生もなぜか出入りを許されて、ヨーロッパの新しいアート事情を見てきた人が話をしたり、浅田さんがロンドンで仕入れてきた「マックス・ヘッドルーム」というBBCの斬新《ざんしん》な映像作品を鑑賞したりしました。今思うとどこからお金が出ていたかもわからないのですが、本当にチャラチャラしていたかもしれませんね（笑）。八四年あたりのことでしょうか。

佐藤　でも八一年だと、まだバブルは始まっていないですね？

香山　そう。でも、やっぱりバブリーな資本ですよ、実態は。そういうちょっととんがった若者を遊ばせるのが趣味みたいなおじさんたちがいて、今思うとそういうものに支えられた上で踊らされていた。私も、ちょっと変わった医学部の女子大生といったかたちで売り出されたのかな。

佐藤　香山さんの書いた本が、当時の京都でも、大学生協の真ん中に置かれていました。

香山　だから、とんがった感じがあったんですね。だけどそのときは自覚していませんよ。今は楽しい思い出として話しているけど、ちょっと表層的すぎたなと。

さっきも言ったように、早い話が、すべてのものはどっちもどっちだみたいな、ものすごい価値相対主義（笑）。それと真面目にやるのがかっこ悪いというのがすごくあったんですね。それまでの熱くて熱心な人たち、たとえば「若い根っこの会」をバカにするという風潮があった。その中には、いわゆる学生運動も含めてましたけど。田舎から出てきて一生懸命受験勉強している受験生をせせら笑う。今思うともう眩暈《めまい》がするような恐ろしくも軽薄な風潮がありましたね。

佐藤　そうだったんですか。

香山　正義だとか善とかいったって、そんなものは時代とともに変わる。記号内容と記号表象はちがったりするんだから、そんなことを言うのは本当に意味がないと。すべてはボードリヤール[*43]的なシミュラークル（模造）で起きていることにすぎず、すべては幻想だと。ある種の虚無的な感じもあったんですね。

佐藤優は同志社の神学部へ、香山リカは北大医学部の研修医に

佐藤　同じ時代なのに、置かれた状況はまるでちがいますね。

香山　ちがいますね。

佐藤　僕は七九年に大学に入った。香山さんは現役ですか？　浪人された？

香山　東大理学部が諦めきれず、一浪したんですよ、私。そしてまた落ちて私立医大に進んだのです。

佐藤　何年に入られたの？

香山　八〇年ですね。

佐藤　学年は一年ちがうんですね。僕が大学に入って、まずみんなで議論したことは何かと言うと、金哲顕（キム・チョルヒョン）という大韓神学大学に留学していた先輩が、学園浸透スパイ団事件で最初死刑判決を受け、その後無期懲役になって、さらに有期刑に減刑されたけれども、長く拘留されて精神的にも厳しい状況になっている。それをどう支援するか。これが神学部自治会の主要な課題だった。こういう問題意識もあったので韓国へ行ったりしていたわけです。

さらにその年の冬は、学費値上げ反対で全学バリケードストライキで試験中止、レポート試験に切り替えられた。そういう年でした。

香山　それは、やはり東京ではなかったから？　そのちがいですか。

佐藤　そうだと思います。当時付き合っていた彼女と城崎温泉に行ってレポートを書いて提出したら、教授に呼び出された。「〇〇さんと同じ日の消印で同じ城崎からきてるぞ」って（笑）。「プライバシーには口出ししたくないけど、子どもはつくらないように。もしそうなれば、余儀なく結婚するとか、余儀なく堕《お》ろすとなって、一生に関わってくる。そこだけ気をつけなさい」と諭されました。
それぐらい指導教官と学生との関係が密なところだったのです。

香山　私が当時付き合っていたのは大学の一学年下の学生だったのですが、彼は医学部生だったのにゲームクリエイターもやっていて、当時はまだ日本ではめずらしかったアメリカのアミーガというゲーム用パソコンのゲームをつくっていたのです。私は「医学だけ」という人は苦手で、「学外にも場がある」という人が好きだったんですね。自分もそうだったから。

でもその彼も学年が進むにつれて、「ゲーム制作より医学」となっていって、何だかつまらなくなって別れました。今思うといいかげんな話です、もちろん私が。その人は私の弟ともとても気が合い、弟はいまだに「Wさん、どうしてるかな。連絡してみなよ」などとふざけて言うくらいです。きっともう、立派な医学者として地域医療や研究に邁進《まいしん》しているでしょうね。

佐藤　私がそのころ神学部の友人たちと読んだのが、ヘーゲルの『キリスト教の精神とその運命』（以文社）でした。この論文は以前に現代思潮新社から訳出されているんだけれども、以文社版にはそれにプラスして、「イエスの生涯」という論文が追加訳されている。これは、カント的なヘーゲルの作品です。そんなものをおもしろがって読んだり、勉強会をしようとか、そんなことをやっていた。

もちろんマルクスもレーニンも読んだ。それと一緒にスターリンも読まないといけなかった。批判する対象としてです。それから[44]金日成や毛沢東、[45]黒田寛一や[46]中原一も読んだ。同時に、[47]ニコライ・ベルジャーエフやオルテガ[*48]なども。だからどちらかというと、中央公論の世界の名著系あたりをみんなで一生懸命つぶしていた。それが楽しかった。

むろん毎晩のように飲み歩いて、朝まで議論して、それでもテレビは見ない。

香山　私はそのころは六本木で浅田さんたちとチャラチャラしてるか、おかしなサブカル雑誌の編集を手伝ってるか、一学年年下のボーイフレンドがマジメになってきたとイライラしてるか。ずいぶんちがう学生生活です。恥ずかしくなってきました。

佐藤　だけどまぁそういう神学部自治会の空間は、同志社の中でも特殊だった。そうこうするうちに僕が関心を持ったのは「神はどうして人になったんだろうか」という神学用語で言うと、「受肉論」[*49]。そのことばかり考えていた。その問題は突き詰めると、理念はどうやって現実になるのかという問題になります。

香山　だから今に至るまで、思想的な連続性があるわけですね。

佐藤　連続性は非常に高いと思う。それで、僕が絶対にやりたいと思ったのは、共産国家におけるキリスト教会と共産党政権の関係についての研究です。キリスト教というのは迷信で何のプラスにもならないのに、それに固執している人たちがいて、なおかつそこで高度な神学的営みがいまだ続いている。東ドイツとチェコがそんな国です。とくに東ドイツは体制迎合的なんだけど、チェコは異議申し立ての中心に著名な神学者のヨゼフ・ルクル・フロマートカか、プロテスタント教徒がいる。ただし反共じゃない。

要するに、ある国が共産主義化したのは、キリスト教がやるべきことをやっていないからだと。それで共産主義国家が生まれてきたんだから、反共主義はまったく意味がないと。その代わり、今のスターリン主義体制はとんでもない体制だから、これをどう乗り越えるかということで、結局その解決策は対話だと。人間とは何かというテーマでならば、信仰者と無神論者の対話が可能になる。

もともと、プロテスタント神学は人間を手放しで認めることはしない。それは、イエス・キリストと触れるところでしか人間は意味を持たないからです。対話を通じてマルクス主義者の目をイエス・キリストに向ける。こういうような勉強をやっていたら、もうおもしろくてしょうがない。

それでフロマートカについて調べたら十分な資料がない。チェコに手紙を出しても返事が来ない。それで留学しようと思ったんだけど、チェコは社会主義国ですごくスターリン主義的なカラーが濃厚だった。チェコは「プラハの春」[*50]の弾圧がありましたからね。それで、留学はムリだとわかった。

じゃあこの勉強を続けるには、外交官になるのがいちばん手っ取り早いなと。そこで、科目は何だ、今から勉強して間に合うかなと。大学院の研究と両立させなくてはならないけれども、一生懸命やれば間に合うんじゃないか。まあ、そんな感じの青春だった。

香山　なるほど。私は逆で、大学生のときはポストモダン漬けの生活だったわけです。でも卒業するときに、さすがにこれはちょっとマズいんじゃないかと（笑）。いわゆる六本木的な、さっき言ったWAVE、ペントハウスみたいなところに集まってチャラチャラするのはもうやめようと。それで北海道に戻って北大の研修医になったのです。

佐藤　でも、その時代も書き続けていたでしょう？

香山　書き続けていました。当時は雑誌文化の勢いがすごかったですからね。『エピステーメー』の創刊は七五年。八一年に『モノンクル』[*51]が朝日出版社から出た。伊丹十三氏が責任編集で、岸[*52]田秀氏と一緒に六号だけつくった雑誌。創刊編集長は中野幹隆[*53]氏です。

それで、ちょうど私が医者になって故郷に帰るころに、冬樹社の『GS（たのしい知識）』が伊[*54]藤俊治、四方田犬彦[*55]、浅田彰の三氏の責任編集で刊行されて、それに書いたりしていましたね。

佐藤　東京と京都との最大のちがいを言えば、当時の京都は、二四時間やっている喫茶店が一軒しかなかった。からふね屋という店だった。

香山　そうなんですか。東京はゲームセンターも二四時間やってましたよ。

佐藤　それで、大体の店は十時（二二時）に閉まる。それで、居酒屋で一軒、二時まで開いてるところがあって、ほかには焼き肉屋で一軒、四時まで開いてるところがあった。京都全体で、ですよ。とにかく夜が早かった。

香山　ふぅん。浅田さんなんか、兵庫県生まれで京都大学に学んだのに、ずいぶん東京的な人だったなぁ（笑）。

佐藤　だから京都にあまり染まらなかったと思います。あの人からは京都的な感じはしない。
香山　そうですね。
佐藤　京都大学の気質とも合わなかったようですね。
香山　でも彼は史上最年少で京大の助手になったと新聞に載ったりして、なんか事件のように騒がれました。
佐藤　京大は新しもの好きですからね、そういったことはしますよ。

佐藤優、外交官になる

佐藤　その後、私は八五年に外務省に入った。そうしたら超勤月一〇〇時間の世界だった。最初に担当したのは、旅行制限の仕事。当時ソ連と日本の間では外交官の行動を規制していました。ロシアの外交官は、日本橋から五〇キロより外に出るときには、旅行の申請を出さないといけない。同じように、われわれ日本人外交官は、モスクワでクレムリンの五〇キロより外に出るときには申請が必要だった。その旅行申請の担当だったわけです。
ソ連の外交官が旅行の申請を出してくると、警察庁の外事課それから公安調査庁、あるいはそこに基地とか海岸があるときには防衛庁（現防衛省）に連絡をして可否のコメントをもらうわけ。この人間はここに立ち入らせるなとかね。

そのとき初めて知ったのは、上陸用適地という概念、つまり上陸しやすい場所。そこにロシア人は接近させないと。たとえば北海道の石狩湾とかです。

あるとき、ソ連外交官が石川県の東尋坊に行くという申請を出してきた。そのとき、そこは上陸用適地だと防衛庁が言うから、さすがにそれに関してはクレームをつけろと上司が言う。あそこからどうやって這《は》い上がってくるのか、防衛庁に説明させろって（笑）。

香山　私は八五年といえば、国家試験の勉強をかなりイヤイヤやっていました。

佐藤　嫌だった仕事と言えば、国会待機です。毎日深夜の二〜三時までみんなが役所に残っている。それがふつうでした。それからちょっと戸惑ったのは、党というと学生時代は共産党を意味したのに、外務省に入ったら、党というのは全部自民党のことなんです。たとえば「党・政府一体の原則で」というと、自民党と政府は一体だということです。学生時代とは全然ちがう文化の世界になる。

そうやって絞りあげられるように仕事した後、今度は外務省の研修所で研修を受けて、東京サミットⅡを迎えた。そのサミットで僕は夫人班に所属した。何をやるかというと、東京の「今日庵」に各国首脳の夫人たちが来る。そこをカメラで撮るときにあるアングルからパンティが見えないかとか、そういうチェックをする。

香山　それって、国家的に大事なことなのかしら（笑）。

佐藤　変な写真を撮られると外交問題になるので大事なことです。それとか、ヘリコプターを降りるときに、風でスカートがどれくらいめくれ上がるか、パパラッチに写真を撮られないか。そういうことを調べるのが仕事だった。外交官ってこういうこともするのかと思いました。

香山　ポストモダン、記号の消費とはまったくちがう、まさにリアルな世界。

佐藤　全然ちがう。異文化のところですよ。

香山　そうか、異文化ととらえればいいのですね。

佐藤　それから、外務省の業界用語を教えられるわけです。何とか大使にお仕えするというマナー。

香山　あぁ、よく聞きますね。本当のことだったのですか。

佐藤　それと面倒なのは、さまざまなローカルルール。たとえば、モスクワの大使館に夫人を連れて着任するときは、革製の白い手袋を持っていないといけないわけ。その着用ルールをあらかじめ電話で直接教えてはいけない。手紙で相談してきた人に返信を書いて答えないといけない。しかもその手袋は銀座の和光でしか売っていない。

香山　皇室みたい。ポストモダンじゃないですね。

佐藤　それで手袋をして挨拶に行くでしょう。そうすると、バカにされるわけ。手袋はハンドバックに入れて口を少し開けて、二センチくらい見せなきゃいけない。そういう、たくさんのローカルルールがあって、それで締め付けていくわけですね。そんな外交官の独特な世界の中でこちらも訓練されていく。

香山　まったく異文化の世界ですね。私も、研修医になったら精神科病院とか精神医療の世界に入って、もう記号がどうのこうのというところとまったくちがう世界に触れていました。

佐藤　まだ医局が健在な時代ですよね？

香山　あ、もちろんです。とくに北海道大学はすごくコンサバティブで、医局制度が厳然とありました。北海道では、北海道大学が道内のほとんどの公立病院、民間病院も含めて全部ポストを握っていて、春先の時期になると助教授、今でいう准教授に一人一人呼び出され、有無を言わさず、「君は四月からここね」と言い渡される。札幌に家を建てたのですがとか言っても、無慈悲に稚内《わっかない》あたりに飛ばされる。

とにかく札幌から遠ければ遠くなるほど、みんな行きたがらなかった。けれど、それに対してNOと言う選択肢はなくて、言われたら最後、みんな黙って行ってましたけどね。まぁだから、北海道では医者は充たされていましたね。それはそれでよかったのですが。

佐藤　だから、今みたいな地方での医師不足は生じにくかった。

香山　いや、今は本当に、地域医療は崩壊していると思います。

佐藤　根室には二〇一九年まで一〇年以上、産婦人内科がいない状態だった。

香山　そうです。だから根室などは、みんな大学病院に頼らずにリクルートする。とにかく一年間でもいいから来てくださいとかね。だから一年間の報酬が三〇〇〇万円とか、とんでもない状況になっています。

モスクワで学んだこと―八〇年代ソ連の学問

佐藤　私のモスクワ時代の話をしますが、初め私はモスクワに直行したいと言ったんだけれど、これがダメだった。お前みたいな中途半端なロシア語の知識しか持っていない人間をモスクワに直接送ったら、実務に耐えるロシア語は習得できないと。

なぜかというと、かつてレーニンが外交官はみんなスパイだと言ったため、外交官はロシア語が極力上達しないような環境に入れられるというんです。

実際そうでした。モスクワ国立大学の講義に出ると、基礎的な文法とかは講義してくれない。外国人がロシア語を勉強する特別な学科があって、そこでの自由討論では、「イラン・コントラ疑惑[*56]とアメリカとその同盟国のダブルスタンダードについて批判しなさい」というテーマが与えられる。

香山　私なら人格が崩壊しそうです。

佐藤　それとか、「日本における被差別集団と、それに対して闘っている政党はどこかについて論じなさい」とか、そんなテーマなのです。

香山　そこには、どこの国からの人たちがいるんですか？

佐藤　シリア人、東ドイツ人、ノルウェー人だとノルウェー共産党員、それから、日本共産党から来ていた赤旗の記者と私。だけどその講義で、みんなが資本主義国の外交官である私をいじめるわけです。だから、当然授業に出たくなくなる。わざとそんなコースに入れるのです。

香山　よく耐えられましたね。

佐藤　われわれへの嫌がらせで、ロシア語が上達しなくなるコースをつくっているとしか思えない。それだから外務省は研修生を、最初にイギリスの軍隊の学校へ一年間送っていたんです。そこは軍の学校だからやはり軍人の生活をする。住むのも将校宿舎で、一応、階級は陸軍中尉ということで。

香山　一人部屋なんですか？

佐藤　一人部屋です。そこで朝から晩までロシア語を勉強するわけです。

香山　英語で教えてくれるんですか？

佐藤　そう。それで、毎日二五くらいの単語とフレーズを七つ覚えて、午後が会話の時間で、三時まで。その後、五時間かかる宿題が出る。これが毎日のこと。それで一週間に一回、単語のテストがあって、八五点以下を三回取ると退学。さらに一カ月に一回、文法のテストがあって、これも八〇点以下を一回でもとると退学。そういう態勢だった。

それで、「バッファーデイ」というのが時々あった。「緩衝の日」という意味です。そこで学業の遅れを取り戻す、つまり復習をやる日が設けられている。

そこで初めて、「あぁ、語学というのはこういうふうにやれば基礎力がつくんだな」とわかりました。

香山　でも、若くないとムリでしょう？

佐藤　いや、若くなくても、四〇代くらいの学生も結構いました。モスクワの駐在武官になる人たちです。それから、数字の聞き取りの授業がものすごく多い。これは、地中海のマルタにイギリスの通信傍受施設があって、ロシア語の暗号傍受を数字の聞き取りでやるからなんですね。数字だけで一カ月の研修があった。ロシア語の数字は格変化がすごいから難しいんだけれど、僕が数字に強くなったのはこの訓練のおかげです。その学校を、二番の成績で卒業することができた。

香山　本当に映画の話のようでおもしろいです。そのころの私はといえば、当時は若手研修医として、患者さんが「私はスパイで暗号解読をしています」などと言えば、「それは統合失調症の妄想ですね」などと診断して、指導医に教えられた通りにメジャートランキライザーを処方していたわけです。

でも、時々「いや待てよ。この患者さんの言うことが真実なのではないか」と思う瞬間はありました。佐藤さんの話を聞いてまさにそう思います。もし当時、佐藤さんが患者として来てそういう話をしたら、薬を処方しちゃったかもしれませんね。それくらい特殊なお話です。

佐藤　確かに特殊な経験をしました。この学校で勉強しているときに気づいたのは、イギリスは流動性がすごく低い階級社会であるという事実です。たとえば、ケンブリッジ大学を出た潜水艦乗りがいた。テリーという名のすごく優秀な男で、ソ連の軍事史を研究していた。親が職人で、大学に進むのは絶対ダメだ、職人になれと。でも自分は勉強をやりたくてしょうがない。それで便法として軍隊に入った人です。

なぜかというと、イギリス社会で階級流動性を確保したかったら、軍隊に入るのがいちばんの近道だからです。それで、軍隊に入って好きな勉強をしていたわけです。

でも彼とパブに飲みに行ったとき、かの国がまぎれもない階級社会であることを実感させられたことがあった。パブには二つ扉があって、パブとサルーンと書いてある、中に入れば一緒ですよ。あるとき、サルーンの扉から入ろうとしたら、テリーが「ちょっと待って」という。「僕、向こうの口から入るから」と。どういうことかと言うと、彼は労働者階級の出身なので、サルーンの扉は中産階級が使うものだから、なんとなく気分が悪いと。

香山　徹底していますね。

佐藤　そうなんです。それでもう一つ印象深く覚えているのは、イギリス人はものすごく集中力があるんだけれど、その集中力が水曜日あたりになると切れちゃう。だから水曜の午後、学校は休みだった。商店も水曜日の午後は休んでいる店が多かった。

香山　それはリーズナブルです。

佐藤　それでまた木曜、金曜と勉強して、土日の二日間はゆっくり休む。

香山　それは、何年ごろのことですか？

佐藤　一九八六年から八七年です。それで私は八七年、ペレストロイカ真っ只中のモスクワに行くことになりました。ところが私が赴任する一週間前に日本の防衛駐在官（駐在武官）がスパイ容疑で国外追放になった。だから日ソ関係が最悪の時期で、最初のころは友達もできない。ロシア語の家庭教師すら見つからない。大使館も「ロシア人と付き合うな」と言うくらいですから。そんな環境だったわけです。

香山　暇を持てあましました。でも、モスクワにはいる。エアポケットのようです。

佐藤　そういうことになります。そこで、どこかに自分の関心が持てる場所がないかと探したら、モスクワ国立大学哲学部は科学的無神論学科の講座で、ブルトマン[57]の「非神話化論」とか、「パネンベルク[58]におけるキリスト論の現代的意義」とか、神学部でやっているようなテーマとほぼ一緒の講義をしていた。それでそこの門を叩いたわけだけど、それがその後の私の人生に大きな影響を与えることになります。

香山　佐藤さんはいろいろな出会いを経験していますね。やはり、佐藤さんは「直接の出会い」の人なんですね。私は「メディア」の人です。ずいぶん、ちがう。

佐藤　そこで驚いたのは、受講生がみんなキリスト教の洗礼を受けていたことです。ソ連体制下で本格的にキリスト教を勉強するためには、無神論を勉強するという体裁を整えないといけない。それによって初めてギリシャ語の講義も取ることができるし、聖書も読むことができるし、神学書も読むことができるわけです。

　図書館の中に特別書庫というのがあって、西側の文献で普段読んだらいけないとされているものも、その学科の先生のサインがあると借りられました。
香山　そこでも階級がものを言うのですか。
佐藤　そうです。ソ連ではインテリは労働者、農民とは別の階級とされていました。はは～ん、こういう二重構造になってるんだなと。おもしろいのは、哲学部の中に現代ブルジョワ哲学批判学科というのがありました。
香山　イギリスのコメディーグループ、モンティ・パイソンのパロディみたいです（笑）。
佐藤　そう。これは何かと言ったら、デリダ[*59]やフーコー[*60]、そういった西側の現代思想を扱う学科です。
香山　じゃ、すでに新しいものも結構入っていたということですね？
佐藤　そうです。ソ連も不思議な国で、ヴィトゲンシュタイン[*61]なんかも一九五〇年代に翻訳されていた。
香山　ヴィトゲンシュタインをロシア語で読むなんて考えたくもないです。
佐藤　だから、デリダやフーコー、ドゥルーズに関しては、比較的自由に読むことができた。
香山　ほとんどリアルタイムですね。
佐藤　そう、リアルタイムでした。それで、これをモスクワ国立大学ではどういうふうに紹介するかというと、「資本主義体制というのは非常に危機的で、イデオロギー的な混乱が生じているが、このことについては党の会合でゴルバチョフ書記長もこう述べているし、そもそもレーニンもこういった問題にはこう述べている」と。

そのうちの一つは、一種の心理学主義だというような序文を書いて、あとはドゥルーズについて『アンチ・オイディプス』[*62]の内容を詳しく説明するわけです。

それで、党の決定からも明らかなようにこのようなイデオロギーに未来はないと。こういうちぐはぐな序文と結論が付いている。

香山　あぁ、なるほど。そうして紹介することを正当化しているんですね。

佐藤　そうです。問題は、真ん中のところをいかに紹介するか、それが当時のソ連の学者たちの腕だったわけです。だから、頭とお尻は建前。そこは誰も読まないわけ。それで、中は自由に研究できる。こういう体制だったわけです。

ところが、ユルゲン・ハーバーマス[*63]はあまり歓迎されない。もっとも歓迎されなかったのは、ルカーチ・ジェルジュ[*64]でした。要するに、マルクス主義に関連する言説はソ連体制の公式イデオロギーとの距離が近づけば近づくほど嫌がられる。だからそういう状況を見ていて、非常におもしろかった。

それから、ソ連には政治学科がなかった。政治学はブルジョワ学問だから存在しない。それで哲学部の中に科学的共産主義学科というのがあって、それが、政治学科の機能を果たしていました。

香山　あ、なるほど。政治はそもそも共産主義の下にあるということですか。

佐藤　そうです。それからさらに、経済学部は資本主義経済学科と社会主義経済学科があった。資本主義経済学科は、いわゆる「マル経」。資本主義はどれだけ悪いもので、それが滅ぶのは必然だと。それで社会主義経済学科は、「近経」でした。搾取制度がなくなった状況下で、社会発展のためにブルジョワ経済学の成果を弁証法的に利用するという建前でした。

それだからソ連崩壊後、すぐにシカゴ学派の新自由主義的な方向に転換できたわけです。社会主義経済学科は、近代経済学を教えていたからです。

香山　アンチテーゼとして、それをしっかり勉強していたんですね。

佐藤　アンチテーゼというより、むしろそっちが実はメインだったわけです。

香山　したたかですねえ。ソ連の科学者はマルクス原理主義者かと思っていました。

ソ連はまさにポストモダンの国だった

佐藤　だから、ソ連というのはある意味、すべてがポストモダン的でした。本音と建前が全然別で、同時に共産主義という大きな物語なんか誰も信じていない。価値相対主義になっている。だから、ポストモダンとみんな騒ぐけど、何だ、スターリン時代以降のソ連そのものじゃないかと。

香山　ソ連が「ポストモダン」とにわかには思いにくいのですが、思想的なポストモダンではなくて、ポストモダンの実践ということですね。

佐藤　そうです。価値相対主義で、正しいことは何もない。

香山　これも私のイメージしていた消費社会に裏打ちされた価値相対主義とはだいぶちがう。頭の整理が必要なのですが、そうだということにしておきましょう（笑）。

佐藤　共産党はいろんなことを言うんだけど、そんなのインチキだってみんな知っているわけです。哲学者のミハイル・バフチンや記号学者のユーリー・ロットマンが生まれてくるのは、そういう環境だったからです。

ちょうど私がモスクワに行ったときに、ドゥルーズやデリダが入ってくるようになって、同時にペレストロイカ以前は禁書だったベルジャーエフとかシェストフ[*65]とか、ロシアの一九世紀の終わりから二〇世紀の初めにすごく流行した宗教哲学者の著作が解禁された。

またそれまで禁止されていたハイデッガーやヤスパース[*66]などもロシア語に翻訳されて流行った。それからコジェーヴ[*67]もフッサールも入ってきたわけです。

時系列なんか関係なしに、今までソ連の公式イデオロギーで否定されたものが全部同時に入ってきたのです。

香山　それこそリゾーム状（地下茎）な感じですね。いや、思想のカオス状態。

佐藤　そう。まさにリゾーム状で、思想の前後関係もないわけです。そこで私は、ソ連を崩壊させていく立役者になったインテリたちと知己を得た。そのときの人脈がのちにクレムリンの人脈にもつながってくるんです。

ロシア人は、そういったポストモダンの洗礼を受けている。すべての物語はインチキだとわかっている。ところがモスクワのインテリたちが依拠するのは啓蒙の思想、あるいは初期マルクスでした。マルクスが言う疎外された社会というのは、このソ連社会そのものじゃないかと。この社会では理性が機能していない、人権も機能していない。ものすごくベタな一八世紀的な人権の思想が展開された。しかしそれがインチキだとみんなわかったうえでのことです。

香山　フェイクだと知りながらそれを受け入れている。いわゆる「シミュラークル（模造品）」としての社会だともいえますが、これまた私のイメージとかなりちがう。

そうか、ちょっとわかったことがあります。私の考える「フェイクな社会」としてのシミュラークルは、ボードリヤールが提唱したそれです。

ボードリヤールは、シミュラークル社会の発展を「⑴ルネサンスから産業革命」「⑵産業革命以降」「⑶現代の消費社会」と分けて、それぞれに「模造」「生産」「シミュレーション」という名を与えたのです。ボードリヤールの考えでは、現代のシミュレーション社会においては「リアル」と「フェイク」という二項対立さえ消え去り、シミュラークル（模造）の循環のみが起きる。

それに対して、フランスの思想家クロソウスキーはニーチェを、ドゥルーズはプラトンを論じるときに、「シミュラークル」を、実像に対する「虚像」や「仮象」からさらに区別し、実像と虚像、本質と仮象という二項対立の構造を書き換えようとしました。このへん、私も正しく理解してはいないのですが、「シミュラークル」という、ある意味、新たな別世界がある。

そういう意味で、ソ連がシミュラークル社会というのは消費社会の話ではないので、ボードリヤール的ではないといえます。かといってドゥルーズ的な別世界ともいえないのですが、そちらに近いかもしれません。このあたりはまた後で考えます。

佐藤　確かにソ連は大衆消費社会ではありませんでした。しかし、ソ連末期のモスクワではフランスの思想的鋳型にあてはまらないロシア流のポストモダニズムが事実として存在していました。これに対してバルト三国やアルメニア、アゼルバイジャンあたりに行くと、知識人が依拠するのはまさにナショナリズムでした。しかし英語ができるインテリはアメリカの歴史学者ベネディクト・アンダーソンの『想像の共同体』も読んでいるし、社会人類学者であり、哲学者のアーネスト・ゲルナーの『民族とナショナリズム』も読んでいる。そのうえで、ナショナリズムは近代的なイデオロギーだということをよく理解していました。

香山　やはり、消費社会のシミュラークルとはちがいます。意識してフェイクを演じていたのでしょうか。

佐藤　そうです。しかしそれでも、ナショナリズムに依拠しないと民衆は動かないこともわかっている。自分たちが主張していることがインチキだとわかっているが、政治的にはそれを使うしかないと考えている。こういう不思議な空間に私はいたわけです。これが原体験になっています。

香山　それは事後的にですか？　後になって「あれがポストモダンだったんだな」というふうに思ったということですよね？

佐藤　事後的に、です。中にいるときは、これは何だろうと当惑するだけでした。
香山　それはそうですよね。映画の『マトリックス』にいるようなものです。
佐藤　だから、「何だろう、コイツらは信念もなくて、道具みたいに思想を使う」と思っていました。
香山　日本は逆で、事後的にじゃなくて、まずそういう思想があるらしいという情報が入ってきて、これをやんなきゃいけないらしい、みたいな形でしたね。これを目指さなきゃいけないらしい、それには何かいろんなものを破壊しなきゃいけないらしい、価値相対主義ってところに行かなきゃいけないみたいだ。そんな感じ。気づいたらそうなっていたじゃなくて、そうならなきゃいけないらしいということで、ポストモダンは広まったんですね。
佐藤　一見ナンセンスなスターリン主義的な体制の表皮の下には、いろんなものが混沌として入り込んでいた。
香山　思想より先に、ポストモダンが現実のものとしてゴロッと出現した。
佐藤　そうです。共産党に忠誠を誓わないインテリは、状況によってはいいところに就職できないとか、そういうリスクはゴルバチョフ時代にもありました。しかしスターリン時代のように収容所に連れていかれるようなことはなかったけど、ブレジネフ時代にはモスクワから所払いになって、どこか地方の大学に移されるというようなことはあった。
　そういう恐れが、ペレストロイカで消えたのは大きかった。しかし他方で、もう一つ大きなシヨックだったのは、マルクス経済学の影響がほとんどなかったことです。成績の悪い者が、地方の大学教師になるためにマルクス経済学を勉強しているというのが実態でした。

それから、ソ連では、一応、労働力の商品化はないわけです。自分が「ここで働きたい」ということではなくて、大学なり高校なりが割り振って職場に行かされる。ある意味で、全員が国家の暴力を背景に強制労働に付されているわけだから、その意味では労働力の商品化は克服されていたわけです。それだからソ連のインテリには、労働力の商品化とか搾取の意味がわからない。

それと興味深いのは、ソビエト社会主義の現実として、社会主義的な共産主義の理想が一つだけ実現していたことです。

香山 それは、何ですか？

佐藤 労働時間の短縮です。

香山 労働時間がきちんと法制度化されていたということですか？

佐藤 少しちがいます。会社は朝九時が始業なのに、九時に家を出る。それで職住接近だから、九時半くらいに職場に着く。それでゆっくりと着替えをして、お茶を飲んで、十時半くらいになって仕事を始めるわけです。それで一二時になったら昼休み。一時間かけてゆっくり昼食をとって、その後一時間くらい、買い物の時間がある。

香山 そういう制度があったわけではなく、みなが勝手にそうしていたのですね。

佐藤 そうです。サボるんです。それで一四時から仕事を再開して一七時に終わるんだけど、そのときには全部鍵がかかって、守衛さんしかいない状態になるから、実際に仕事が終わるのはだいたい一五時半くらい。

香山　え～、実質的に三～四時間しか働いていない！　よくそれで社会が回りますね。

佐藤　石油と天然ガスを売って外貨を稼いでいたからです。三時間半の労働で、週二日の休みがある。それと六月から一〇月の間に、二カ月の休みを分けて取るんだけれど、夫婦で同じ時期に取らないわけ。それで夫は保養所に行って、そのときに思いっきりセックスをエンジョイする。

香山　えーと、それは配偶者以外の方と……？

佐藤　そう。

香山　それはまた、激しいですね。でも、全然ロマンチックじゃない。ヨーロッパ的なロマンチック・ラブとはちがう。やはりシミュラークルなのかもしれない。日常から逸脱しています。

佐藤　そう。ただ、モスクワにその関係を持って帰ったら血の雨が降るんだけれども、夏の間はそこで息抜きをするのが文化になっているから、それを誰も問わない。

香山　モスクワ流バカンス！　それが許されることがちょっと私には信じられない。

佐藤　だからソ連という国はおもしろかった。保養所は国営で、ベッドは全部型が決まっていて、ダブルベッドがない。全部華奢《きゃしゃ》なシングルベッド。その上で、一二〇～一三〇キロの男性と、一五〇キロくらいの女性がゆさゆさとやってるんだから、当然ベッドが壊れる。だから、すべての保養所やホテルには大工さんがいて、一年中ベッドの修理をしているわけです。

香山　作り話じゃないんですか（笑）。おもしろすぎますよ。

佐藤　本当です。そんな社会体制のところだから、いわゆるフリーセックスとかの性習俗に関しても、日本とはまったく感覚がちがいました。性行為に金銭を介在させることがそもそも考えられない。そりゃ、外国人相手の後ろにKGBがついてる女性は別として、それ以外にはまず考えられない。

こういう環境のソ連の中に、私はいたわけです。不思議な世界でした。

香山　性の習俗がまるでちがう。モラルの基準もまったくちがいますね。

佐藤　そうです。独自のルールを持ったソ連社会がだんだん自壊していくのですが、その理由は非常に簡単で、大量消費文明を入れてしまったからなんです。

香山　やっぱり、そうなんですか。ポストモダンの後に、消費社会が来たということですか。

佐藤　そうなんです。九一年の八月にゴルバチョフが幽閉されたとき、クーデター派がいたロシア共産党中央委員会で、ゴルバチョフはまだ生きていると私に教えてくれた人がいた。私が「ゴルバチョフは病気と発表があったけど、病名は何だ」と聞いたら、「ラジクリットだ」と言う。私はその言葉を知らなかった。そこではメモもとれないから頭の中で覚えて、大使館に戻って露和辞典を引いたら、「ぎっくり腰」という訳語が出ていた。

ゴルバチョフはぎっくり腰で政界引退だと。何だ、これは？　とんでもない茶番ということがわかった。教えてくれた人はロシア共産党第二書記のイリインさんなのですが、後に彼がこんなことを言っていました。

「ブレジネフは頭がよかった。フルシチョフが改革を始め、資本主義国に対して門戸を開こうとしたんだが、それによって西側の大量消費文明が入ってくる。そうなれば、人間の欲望の力に共産主義は勝てないことにブレジネフは気づいていた。だからブレジネフは大量消費文明が入ってこないようにしたんだ」

そしてこう言うんです。「佐藤、お前が来たばかりのころ、アイスクリームは何種類あった？」と。

「カップに入ったアイスと、チョコレートのコーティングをしたエスキモーという棒アイスと、あと白い棒アイスの三種類だ」と答えました。

「そうだろう。ソ連のアイスクリームはうまいだろ？」と。「ところが、バスキン・ロビンスのサーティワン・アイスクリームが入ってきた。そうしたら、三二のアイスを、掛ける二で二つ組み合わせると四九六種類になる。それだけのアイスクリームが食べたくなるんだ、人間は」と。うまいこと言うなと思いました。

ノートも三種類しかない。石鹸も五種類くらいしかない。そんなソ連社会に大量消費文明が入ってきた場合に、それには抗《あらが》えず、イデオロギーが壊されることにゴルバチョフは気づかなかった。共産主義制度を残したまま、部分的に市場経済を実現できると思ったのがまちがいだったと、イリインさんは言っていた。その通りだと思います。

香山　消費社会がイデオロギーを壊す。これはどこの社会でも見られることですよね。ベトナムに行ったとき、アメリカとの戦争を終えて北ベトナムが勝って統一がなされた後、あっという間に北も消費社会化、いわゆるアメリカ化したと聞きました。

アメリカはイラク戦争など、時々「世界はアメリカのようになりたいのだろう？　それがいちばん幸せなのだ」と無邪気な傲慢《ごうまん》さを見せることがあり驚くばかりですが、実はそれがあながちまちがいではない。なるほど、今の中国もそうですよね。

佐藤　中国の場合、消費財が豊かなので状況は異なります。ソ連の社会は大きく変質するとイリイン第二書記は言った。その通りだった。要するにロシア人には労働力の商品化とか搾取とかはわからないから、もともと労働者を保護する法体系がない。だから、その後はめちゃくちゃな格差社会になっていくわけです。

香山　なるほど。経済格差と貧困というのは資本主義につきものですよね。

佐藤　それから、怖いのは日常的に暗殺が行われるようになったことです。私の知っている銀行の頭取が殺されているし、スポーツ観光国家委員会（省）の次官も殺された。

たとえば、互いの利権をめぐって三億円のトラブルがあるとする。相手が死んで、三億円の利権が転がり込むということになれば、平気で殺しを頼む。そういう嘱託殺人が結構あった。だから怖くなって、ビジネスの世界を途中でやめて学者に戻った知人もいる。殺しの値段は、安いときは五万円くらいでした。

香山　五万円！　単純な言い方ですが、人の命が五万円ということですね。

佐藤　そう。高くても三〇〇万円くらい。それで、三〇〇万円かけて殺したら、犯人は挙がらない。そうすると、三〇〇万円の元手で三億円だから、これはビジネスになるわけです。一九八七～九五年まで、そういうモスクワに、私はいました。

香山　あぁ、じゃあ、ちょうど日本のバブルが終わってからですね。

佐藤　バブルのころはモスクワに来る日本の記者たちも羽振りがよかった。ロシアに一軒しかない日本食レストランで「一人前二万円でいいから幕ノ内弁当を作れ」という注文が来た。

香山　ちょっと待ってください。お弁当が二万円で、殺人が五万円ですか？

佐藤　そんな時代だった。そんな日本もおかしいと思ったし、私の中で資本主義に対する危機感が強まった気がします。それから、宇野理論＝マルクス経済学が正しいと思ったのは、資本の原始的蓄積をモスクワにいて目の当たりにしたからです。資本主義がどうやって生まれるかをモスクワで自分の目で見ることになった。

香山　信仰でもなければ、価値観が崩壊しますね。

佐藤　だから、ある意味ではポストモダン的な状況を経験しているんだけれども、結局人を動かすのは啓蒙の論理か、あるいはナショナリズム、そのどちらかでしかないと私は思うようになりました。ただし、それはインチキなものだってことをわかりながら、やらないといけない。

これが、モスクワで私が学んだことです。

香山　日本は、ポストモダンが一気に入ってきて、価値相対主義的になったのだけど、その後バブルになって何億もの土地を転がす時代がやって来た。それってセンスないよねと冷笑するんだけど、それに代わるような啓蒙主義だとかナショナリズムを打ち立てないままに、浅田さんなんかも「彼らは愚民だ」とか言って、「もう、や〜めた」みたいな感じになっちゃったのね。

佐藤　そう。だから、浅田さんの著作の中で重要なのは、『構造と力』よりも『逃走論』だと思う。

香山　私もそう思います。ポストモダンの悪しき部分が……。

佐藤　逃げちまったほうがいいんだと。

香山　無粋な権力闘争、二項対立的な思想闘争などからは逃げて、まさに「軽やかな知の戯れ」の中で遊べ。いつまでもキッズのままでいいのだ。このメッセージはあまりに洒脱で甘美で、二〇代の私にとっては魅力的すぎるものでした。そして私自身、このメッセージを実践することで二〇代から四〇代までを生きてきた、と言っても過言ではないのです。

もちろん、その間には佐藤さんが言ってくださったような臨床もやっていましたので、完全に地から足が離れることはなかったけれど、それでも気分的にはいつも「逃げて」ここまで来たような気がします。

ただ、五〇代に突入して、はっとあたりを見回すと、格差、貧困、そしてヘイトスピーチを含んだ差別の横行と、世の中は八〇年代に思い描いたような楽園とはほど遠い様相です。そういう中で私は遅ればせながら、「やはり『逃走論』は最終回答ではなかったのだ」と気づいた次第なんです。本当に〝今まで何やってたんだよ。もう遅いよ〟と言われたら弁解する言葉もないのですが……。

佐藤　ポストモダンは、共産主義（その実態はスターリニズム）という大きな物語があった状況では、その内部における小さな差異に目を向けることで、スターリン主義を内側から脱構築する意味があったと思います。しかし、ソ連体制が崩壊し、対抗イデオロギーが存在しない下での小さな差異の追求は、そこから商品を作り出すことになった。ポストモダンが資本主義に包摂されてしまった。資本主義に対する異議申し立てとしてポストモダンは無力だった。

その隙を突いて、知的には洗練されていないナショナリズムや排外主義が大きな物語として、社会に無視できないような影響を持つようになってしまったのです。

もう少し、ましな大きな物語を回復しなくてはならない。私はその可能性の一つがキリスト教にあると考えています。キリスト教徒は原罪観を持っているので、キリスト教的な大きな物語に悪が潜んでいることを認識している。この自己批判的な姿勢が重要だと思っています。

＊12　**小林多喜二（こばやし たきじ）**　小説家（1903～1933年）。日本のプロレタリア文学の代表的な作家、治安維持法違反で逮捕され、獄中で死亡。代表作に『蟹工船』（1929年）がある。

＊13　**あさま山荘事件**　1972年2月、新左翼過激派連合赤軍が長野県の保養所「浅間山荘」において人質を

とって立てこもった事件。事件発生後10日目に機動隊が突入し、人質を救出、犯人5名は全員逮捕。死者3名（うち機動隊員2名、民間人1名）を出した。

＊**14　過激派**　1960年代以降、急進的な社会変革や暴力革命を訴え、直接行動や実力闘争を展開した新左翼系諸勢力の別称。

＊**15　よど号事件**　1970年3月31日、世界同時革命をうたう共産主義者同盟赤軍派が羽田発 福岡板付空港行き日航機よど号をハイジャック、北朝鮮に着陸・亡命した事件。

＊**16　金嬉老（きん　きろう）**　1968年2月、静岡県清水市で暴力団員2人をライフルで殺害し逃亡。翌日、同県寸又峡温泉の旅館で13人を人質にとって籠城。88時間にわたる籠城のあとに逮捕された。事件は民族差別の告発としても報道された。

＊**17　反トロツキスト**　ソ連のレフ・トロツキー（1879〜1940年）が唱えた共産主義革命思想をトロツキズム、その信奉者をトロツキストと呼んだ。これを「左翼日和見主義者」と批判した各国共産党は「反トロツキスト」と呼ばれた。

＊**18　坂口弘（さかぐち　ひろし）**　あさま山荘事件で逮捕された連合赤軍派の幹部（中央委員会書記長）（1946年〜）。確定死刑囚で、歌人。

＊**19　マックス・ウェーバー**　ドイツの社会学者・経済学者（1864〜1920年）。『プロテスタンティズムの倫理と資本主義の精神』『職業としての学問』『職業としての政治』などの著書がある。

＊**20　中核・革マル・革労協**　反代々木（日本共産党）系の新左翼党派の代表的3団体の略称。

＊**21　民青（日本民主青年同盟）**　日本共産党の指導下にある労働者、学生の青年組織。

＊**22　西武文化**　西武百貨店の堤清二社長やその右腕・パルコ会長の増田通二らが提案した70年代後半から80年代の新しい消費生活スタイル・文化の総称。「六本木WAVE」「PARCO」などの商業文化施設を生み、若者文化の一大潮流となった。

＊**23　糸井重里（いとい しげさと）**　コピーライター（1948年～）。西武百貨店の「不思議、大好き。」（1981年）「おいしい生活。」（1983年）などのキャッチコピーが有名。仲畑貴志や川崎徹らと共に「コピーライター全盛時代」を築いた。

＊**24　『エピステーメー』**　1975年に朝日出版社から創刊された月刊思想誌。1979年第44号で終刊となる。執筆者には蓮實重彦などがいる。「エピステーメー」は「知」または「科学」を意味するギリシャ語。

＊**25　ジル・ドゥルーズ**　フランスの哲学者（1925～1995年）。20世紀のフランス現代哲学を代表する哲学者の一人。主な著作に『ニーチェと哲学』『差異について』『リゾーム…序』（フェリックス・ガタリとの共著）などがある。

＊**26　アレクサンドル・コジェーヴ**　ロシア出身のフランス哲学者（1902～1968年）。ヘーゲル哲学の体系全体を解釈したことで知られる。『ヘーゲル読解入門――「精神現象学」を読む』『法の現象学』などの邦訳著作がある。

＊**27　ジャン゠フランソワ・リオタール**　フランスの哲学者（1924～1998年）。「大きな物語の終焉」を提唱してポストモダンの大きな潮流をつくった。主な著作に『ポストモダンの条件』『リビドー経済』などがある。

＊**28　カール・マルクス**（1818～1883年）　ドイツの哲学者、思想家、経済学者で革命家。19世紀の社会主義および共産主義運動・労働運動に強い影響を与え、その思想的功績は不滅のものとされて現在に至る。主な著書に『資本論』『共産党宣言』などがある。

＊**29　ジョン・デューイ**　アメリカの哲学者・教育者（1859～1952年）。現代アメリカを代表する哲学プラグマティズムの思想家として、また「機能主義心理学」の提唱者としても知られる。

＊**30　ウィリアム・ジェームズ**　アメリカの哲学者・心理学者（1842～1910年）。ジョン・デューイと並び、「プラグマティスト」の第一人者として知られる。主な邦訳著書に『プラグマティズム』『心理学（上下）』『純粋経験の哲学』などがある。

＊31 **上江洲智克（かみえす ともかつ）** 政治家（1916〜1997年）。元沖縄県人会兵庫県本部名誉会長。沖縄出身。社会党に所属し兵庫県議会議員や尼崎市議会副議長を務めた。著書に『天皇制下の沖縄』（三一書房）がある。本書の著者佐藤優は甥にあたる。

＊32 **社青同協会派** 旧日本社会党の青年組織である社青同（日本社会主義青年同盟）の主流派。向坂逸郎を理論的指導者とする社会党左派グループ「社会主義協会」の指導下にあった。

＊33 **東大ブント** ブント（共産主義者同盟）は60年安保闘争を主導した新左翼党派で、多くの指導者は東大出身であった。その後分裂を繰り返すが、60年代後半の全共闘運動後も生き残った。

＊34 **長堀祐造（ながほり ゆうぞう）** 慶應義塾大学経済学部経済学科教授（1955年〜）。専門は中国近現代文学・中国近現代政治史。魯迅研究者として著名。「東方学会」所属。『魯迅とトロツキー―中国における『文学と革命』』などの著作がある。

＊35 **莫言（ばくげん モー・イエン）** 中華人民共和国の作家（1955年〜）。2012年ノーベル文学賞受賞。代表作に『豊乳肥臀』『酒国』などがある。映画化された『紅い高粱』映画名『紅いコーリャン』は1988年のベルリン国際映画祭で金熊賞を獲得。

＊36 **丸山圭三郎（まるやま けいざぶろう）** フランス語学者・哲学者（1933〜1993年）。日本におけるソシュール言語学研究の第一人者。主な著作に『ソシュールの思想』『文化のフェティシズム』『生命と過剰』などがある。

＊37 **フェルディナン・ド・ソシュール** スイスの言語学者・言語哲学者（1857〜1913年）。構造主義と記号論の基礎をつくり、「近代言語学の父」ともいわれる。

＊38 **田中康夫（たなか やすお）** 日本の政治家・作家（1956年〜）。衆議院議員、参議院議員、長野県知事、新党日本代表を歴任。「脱ダム宣言」で知られる。代表作に第17回文藝賞 を受賞した『なんとなく、クリ スタル』などがある。

＊**39　藤代泰三（ふじしろ　たいぞう）**　神学研究者（1917〜2008年）。同志社大学神学部神学教授。同学部長を務める。主な著作に『キリスト教史』（2017年・講談社学術文庫）がある。

＊**40　ウンベルト・エーコ**　イタリアの小説家・文芸評論家・哲学者・記号学者（1932〜2016年）。主な著書に『薔薇の名前』（1980年）や『プラハの墓地』（2010年）などがある。オックスフォード大学ケロッグ・カレッジ名誉フェロー。

＊**41　浅田彰（あさだ　あきら）**　批評家（1957年〜）。専門は現代思想。京都造形芸術大学大学院学術研究センター所長。ヨーロッパの最新思想を日本へ紹介。主な著作に『構造と力――記号論を超えて』『逃亡論』などがある。

＊**42　細川周平（ほそかわ　しゅうへい）**　音楽学者（1955年〜）。国際日本文化研究センター名誉教授。主な著書に『音楽の記号論』『ウォークマンの修辞学』など。ポピュラー音楽の記号論的考察によって「ニュー・アカデミズム」の旗手の一人と目された。

＊**43　ジャン・ボードリヤール**　フランスの哲学者・思想家（1929〜2007年）。ポストモダンの代表的な思想家。著作に『消費社会の神話と構造』。

＊**44　金日成（キム・イルソン）**　北朝鮮の初代国家主席（1912〜1994年）。第二次世界大戦後、朝鮮民主主義人民共和国を建国。

＊**45　黒田寛一（くろだ　かんいち）**　日本革命的共産主義者同盟革命的マルクス主義派（革マル派）最高指導者（1927〜2006年）。

＊**46　中原一（なかはら　はじめ）**　革労協書記長（1940〜1977年）。1977年2月、革マル派との内ゲバにより死亡。

＊**47　ニコライ・アレクサンドロヴィチ・ベルジャーエフ**　ロシアの哲学者（1874〜1948年）。1922年、レーニンの革命政府によって国外追放される。ドイツ観念論を唱え、人権や国民主権を批判した。主な著作に『歴

史の意味』『ドストエフスキーの世界観』など。

＊48　ホセ・オルテガ・イ・ガセット　スペインの哲学者（1883〜1955年）。生気論、プラグマティズムや実存主義などを唱える。主な著作に『ドン・キホーテをめぐる思索』『大衆の反逆』などがある。

＊49　「受肉論」　神が人となって現れること。キリスト教では、神の子たるキリストが人類の救済のためにイエスという人間の形となって地上に生まれたとする。

＊50　「プラハの春」　1968年の春から夏にかけて起きたチェコスロバキアの民主主義的社会変革運動。主導したのはドプチェク共産党第一書記。しかし同年8月、ソビエト軍主導のワルシャワ条約機構軍による軍事介入で弾圧された。

＊51　『モノンクル』　伊丹十三（俳優・映画監督・エッセイスト）が1981年に思想家・岸田秀とともに朝日出版社から創刊した心理学や文明批評をテーマにした雑誌。6号で廃刊になる。

＊52　岸田秀（きしだ しゅう）　心理学者・精神分析学者・思想家（1933年〜）。和光大学名誉教授。主な著作に『ものぐさ精神分析』など、翻訳書も多数著している。

＊53　中野幹隆（なかの みきたか）　書籍・雑誌の編集者（1943〜2007年）。1960年代に『日本読書新聞』の編集長、70年代に『現代思想』『エピステーメー』の創刊編集長となる。1980年代には『週刊本』『モノンクル』を手がけた。

＊54　伊藤俊治（いとう としはる）　美術評論家・美術史家（1953年〜）。東京芸術大学美術学部先端芸術表現科教授。1985年のつくば写真美術館'85の企画に参加。1987年に著書『ジオラマ論』でサントリー学芸賞を受賞。

＊55　四方田犬彦（よもた いぬひこ）　比較文学者・映画史家（1953年〜）。2000年『モロッコ流滴』で第11回伊藤整文学賞（評論部門）。2008年『翻訳と雑神』などで第11回桑原武夫学芸賞。2014年『ルイス・ブニュエル』で第64回芸術選奨文部科学大臣賞。

＊**56　イラン・コントラ疑惑**　1986年、アメリカ合衆国のロナルド・レーガン政権が、イランへの武器売却代金をニカラグアの反共ゲリラ「コントラ」の援助に流用していたことが発覚。アメリカ国内はむろん、世界を巻き込む一大スキャンダル事件となった。

＊**57　ルドルフ・カール・ブルトマン**　20世紀を代表するドイツの新約聖書学者（1884～1976年）。聖書の非神話化（実存論的解釈）の方法論を提唱。

＊**58　ヴォルフハルト・パネンベルク**　ドイツの神学者（1928～2014年）。ルター派出身。ライフ・ワークは「組織神学」。キリスト論の現代的意義を提起した。

＊**59　ジャック・デリダ**　フランスの哲学者（1930～2004年）。ポストモダンの代表的哲学者。ニーチェやハイデッガーの哲学を批判的に継承・発展させた。主な著作に『グラマトロジーについて』『声と現象』『エクリチュールと差異』などがある。

＊**60　ミシェル・フーコー**　フランスの哲学者（1926～1984年）。当初は構造主義の旗手と目されたが、後に構造主義を厳しく批判してポストポストモダンの思想家とみなされる。主な著作に、『言葉と物』『狂気の歴史』『監獄の誕生』『性の歴史』などがある。

＊**61　ルートヴィヒ・ヴィトゲンシュタイン**　イギリス（オーストリア出身）の哲学者（1889～1951年）。イギリス・ケンブリッジ大学教授を務める。言語哲学の第一人者といわれ、主な著作に『論理哲学論考』『哲学探究』などがある。

＊**62　『アンチ・オイディプス』**　ジル・ドゥルーズと精神科医フェリックス・ガタリの共著になる『資本主義と分裂症』シリーズの第1巻（1972年）は、フロイトの説「エディプス・コンプレックス」への批判の書として知られる。

＊**63　ユルゲン・ハーバーマス**　ドイツの哲学者（1929年～）。フランクフルト学派に属する。公共性論・コミュニケーション論の第一人者で、数々の哲学者との論争で知られる。

＊**64 ルカーチ・ジェルジュ（ゲオルク・ルカーチ）** ハンガリーの哲学者、文芸批評家、美学者（１８８５〜１９７１年）。クン・べーラ政権などの教育文化相を務めた政治家でもある。「西欧的マルクス主義」の主唱者。

＊**65 レフ・シェストフ** ロシア系ユダヤ人哲学者（１８６６〜１９３８年）。『シェークスピアとその批評家ブランデス』で注目を集め、『ドストエフスキーとニーチェ（悲劇の哲学）』やチェーホフ論『虚無よりの創造』などを著す。

＊**66 カール・ヤスパース** ドイツの哲学者・精神科医（１８８３〜１９６９年）。代表的な実存主義哲学者の１人。現代思想（とくに大陸哲学）、現代神学、精神医学に強い影響を与えた。ゲーテ賞を受賞。主な著作に『哲学入門』『精神病理学原論』などがある。

＊**67 エトムント・フッサール** オーストリアの哲学者・数学者（１８５９〜１９３８年）。数学基礎論の研究者として出発したが、やがて哲学に軸足を移し「現象学」を提唱する。主な著作に『現象学の理念』『デカルト的省察』『間主観性の現象学Ⅰその方法』などがある。

第２章

不条理に向き合わない「ポストモダン」

村上春樹の『騎士団長殺し』とポストモダン

佐藤　さて時間をぐっと進めて、二人の青春の思想的遍歴から、「ポストモダン」と「現在」をつなぐ思想的回路について話してみたいと思います。

そこで香山さん、村上春樹氏の『騎士団長殺し』を読まれましたか？

香山　はい。村上春樹さんの新刊は習慣的にすぐ買うので。それもこの世代ならでは、ですかね。発売後すぐに買い、読み始めたら止《や》められなくなり、一気に上下巻を読みました。素敵なシニアの免色《めんしき》さんがいいですね（笑）。

佐藤　上巻の中で、騎士団長がこう言ってますね。「世の中には、諸君が知らないままでいた方がよろしいことがある」「歴史の中には、そのまま暗闇《くらやみ》の中に置いておった方がよろしいこともうんとある」それから「客観が主観を凌駕《りょうが》するとは限らない」と。これからわれわれが話し合う不条理の問題はたぶん、ここなんじゃないのかな。だから「不条理とどう向き合うか」ということは文学的なテーマであるとともに、現代的なテーマだと思います。

この「不条理とどう向き合うか」は、「一九八〇年代問題」として私が最近考えていることと関係してくると思います。

香山　前の章で話した八〇年代問題ですね？

佐藤　そうです。不条理とは向き合わないという発想がポストモダンの根本にあります。基本的に不条理と向き合わないことがまさに今にまで続くトレンドなのです。だから、一九八〇年代のポストモダンの時代を克服しないかぎり、不条理と向き合う姿勢は出てこない。

香山　相対主義、オモシロ主義のもとに、自分は〝土俵の外〟に身を置いて、対立構造から離れて「どっちもどっち」とやや冷笑的に眺め、自分の判断は保留する。確かにそうであるかぎり、不条理にも向き合わないですむかもしれません。

佐藤　不条理と向き合うことを避けるという点では国際政治学者の三浦瑠麗《みうらるり》さんの言説にその傾向があります。平和を担保するためには徴兵制が効果的というような発想は、国家の持つ不条理について無自覚だから出てくる主張だと思います。

香山　彼女を否定するつもりはないのですが、『トランプ時代』の新世界秩序』という本の帯には、トランプ大統領誕生を予測した人であるかのようなコピーが書かれていましたね。だけどツイッターでは、「とはいえ、ヒラリーが圧勝するだろう」とか書いていた。賢明な読者なら疑問を持つはずですが、むしろ「さすが三浦さん！」と高く評価するのです。

佐藤　それは彼女が本質においてニヒリストだからだと思います。だから彼女は、不条理とは向き合わない。

香山　それは、世俗から超越しているからということですか？　神の位置に立ち、どちらも俯瞰《ふかん》しているからと……。

佐藤　俯瞰はしていないと思います。超越性もない。自分を無の上に置いているのだとしか思えない。これは一つの哲学的スタンスです。私には彼女がニヒリズムの政治学者に見えます。

香山　俯瞰もしていないんですか。土俵を審判員の視点で見ていると思っていました。

佐藤　微分的で小さな差異だけを見るんで、それ以外のところに関心がないんじゃないかと思います。

香山　超越ではなく、むしろ細部の違いにこだわる。八〇年代問題とか、ポストモダン問題には向き合わずに、〝軽やかに〟かわしていく。村上春樹は向き合っているんですかね。

佐藤　村上春樹はちゃんと向き合っています。その向き合っているところが「アンチ春樹」が増えている理由だと思います。だから、今の村上春樹は『ノルウェイの森』のころとはだいぶちがうと私は見ています。

小沢健二、一九年ぶりのシングルリリース

香山　『騎士団長殺し』が出たのは二〇一七年の二月二四日だったと思いますが、その二日前にはもう一つ、サブカルチャー界に事件がありました。それは小沢健二（オザケン）さんが一九年ぶりにシングル『流動体について』を出したことです。これは聴きようによっては、ある種のパラレルワールドを歌っている歌なんです。

自分は今外国から飛行機に乗って羽田に戻ってきて、もう子どももいる。でも、あのときちがう選択をしていたら並行世界はちがったかもというようなことを、東京の港区を移動しながら考える、という歌です。

そしてそこで小沢健二さんが出している結論は、今の自分にできることは、この世界が神の手にゆだねられているなら、その時々でよい決断をすることだけなのだと。ある意味、三浦瑠麗的な微分的視点を肯定している。私は深く考え込んでしまいました。

でも、彼も一九年前に爆発的にヒットを飛ばしていたころ、『愛し愛されて生きるのさ』とか『ラブリー』とか、ニヒリストではないけれども、わりと相対論的なことを言っていました。

佐藤　一九年前?

香山　一九九四年ですね。私にとっては最後の八〇年代ソングに思えました。

佐藤　ちょうどそのころ私はモスクワにいて、小沢健二さんをまったく知りません。そのころモスクワでは「雪の上のリンゴ」という歌が流行っていました。ただ雪の上にリンゴがあるということだけを繰り返す歌で、本当にナンセンスな歌なのですが、でも今思うと、やっぱりあれがソ連のポストモダンだったのでしょう。政治や社会に関する言及がまったくなかったからです。

香山　そこまで逆に空虚になっちゃうと、またそれはそれで、何か次に新しいものが出てくる気がしますけどね。オザケンは、すべては移ろいゆくけど、この目の前の好きって気持ちは本物、と歌っていた。

佐藤　確かにそうです。アルスー（女性歌手）のようなロシア・ポップミュージックが生まれました。

　ところで、『騎士団長殺し』でおもしろいのは、登場人物の名前です。たとえば、香山さんが素敵なシニアと言った免色渉《めんしきわたる》。この免色という名は、たぶん前作『色彩を持たない多崎つくると、彼の巡礼の年』の発展系だと思います。色彩を持たない「多崎つくる」だから「免色」だし、それでその女友達の名が柚《ゆず》だから、これも前作とつながる。

　この免色という男はインサイダー取引と脱税の容疑で東京拘置所に四三五日間拘置されたことがある。三メーター四方の壁の中で一生懸命に語学を習得するんだけど、これはリアルな世界です。村上春樹はある意味ぐるっと回ってきて、今度の『騎士団長殺し』に辿りついた。この『騎士団長殺し』が、作家の百田尚樹氏に叩かれている。『騎士団長殺し』が、南京事件に言及しているからです。

香山　はい。私も注目した個所です。

　主人公に、免色氏から電話がかかってくる場面ですよね。日本の近代史の話となり、一九三七年に何があったかと聞かれて、主人公は「南京入城」と答える。すると、免色氏はこう言うのです。

「そうです。いわゆる南京虐殺事件です。日本軍が激しい戦闘の末に南京市内を占領し、そこで大量の殺人がおこなわれました。戦闘に関連した殺人があり、戦闘が終わったあとの殺人がありました。日本軍には捕虜を管理する余裕がなかったので、降伏した兵隊や市民の大方を殺害してしまいました。正確に何人が殺害されたか、細部については歴史学者のあいだにも異論がありますが、とにかくおびただしい数の市民が戦闘の巻き添えになって殺されたことは、打ち消しがたい事実です。中国人死者の数を四〇万人というものもいれば、十万人というものもいます。しかし四〇万人と十万人の違いはいったいどこにあるのでしょう？」

このあたりの記述に関して、百田尚樹氏がツイッターを連投してかみついたのです。それを引用させてもらいましょう。

「村上春樹氏の新刊『騎士団長殺し』の中に、『日本軍は南京で大虐殺をした』という文章があるらしい。これでまた彼の本は中国でベストセラーになるね。

中国は日本の誇る大作家も『南京大虐殺』を認めているということを世界に広めるためにも、村上氏にノーベル賞を取らせようと応援するかもしれない。」

「僕も小説の中で、『日本軍は南京大虐殺をした！』と書けば、中国で本が売れるようになるかな。」

「中国で本を売りたいのか、あるいは中国の後押しでノーベル賞が欲しいのか、それとも単なるバカか。」

本を売るために中国に媚《こ》びる記述をした、という百田氏が時々使うレトリックです。

佐藤　この作品は、日本の歴史的な加害責任も引き受けるという内容の構成になっている。テーマが重い。一九三〇年代のナチスによるオーストリア併合と「[*68]水晶の夜（クリスタル・ナハト）」

の惨劇のちょうど間ぐらいに時期を設定して、そこに雨田具彦《あまだともひこ》という画家が洋画を学びにいく。その彼が戦後帰国して突然日本画家となり、屋根裏で飛鳥時代の絵を描くという物語が展開される。

この『騎士団長殺し』には「イデア」という名の騎士団長が登場する。「イデアは他者による認識なしに存在し得ないものであり、同時に他者の認識をエネルギーとして存在するものである」とイデアは言う。

この不思議な登場人物を「イデア」と名付けたのは、プラトン哲学で言うところのデミウルゴス（創造神）だと思う。デミウルゴスから悪が生まれてくるという構成になっています。

香山　私から見ると、村上春樹も小沢健二も、ポピュラーな文化のフィールドの中で、ある意味で呻吟《しんぎん》したり葛藤《かっとう》したりしているだけ、本当に立派だと思います。

事実上、一九年間も沈黙していた小沢健二がここに来て相対主義から脱して、彼なりに人生の本質に向かい合おうとして、たくさんの言葉を音に乗せて歌にすると、「詰め込みすぎ」と言われて、それほどの大ヒットにはならない。

村上春樹も「存在の本質」や「歴史の事実」に言葉を尽くして取り組もうとしても、もちろんベストセラーにはなりますがロングセラーにはなりきれない。それより醒《さ》めた口調でニヒリスティックなことを語る三浦瑠麗さんのほうが引っ張りだこになって支持を集める。勝負に出るよりもそのほうが安全、ということでしょうか。

佐藤　論壇では価値相対主義のほうが安全ということだと思う。この関連で、『騎士団長殺し』ではこういう会話が主人公と騎士団長の間で交わされている。

「じゃあもしぼくが『騎士団長は存在しない』と思ってしまえば、あなたはもう存在しないわけだ（略）」

「しかしそれはあくまで理論上のことである。現実にはそれは現実的ではあらない。なぜならば、人が何かを考えるのをやめようと思って、考えるのをやめることは、ほとんど不可能だからだ」

こんな議論をしているんだけれども、ここでは実体主義的な考え方が打ち出されています。

香山　騎士団長はバーチャルな存在のように思えるけれど、それにもかかわらず、思考から追い出すことはできない。ネットでは「見なければないと同じだよ」と言われていますが、では見なければ忘れられるのか。そんな簡単なことではない。いろいろなバリエーションがありそうです。

佐藤　村上春樹は悪のリアリティに徹底的にこだわっています。これは世界的なトレンドだと思います。今「リアルな悪」をもう一回見直すという流れが文学においても哲学や神学においても強まっている。

香山　そうかもしれませんね。

佐藤　だから何かを不条理というとき、それを不条理に受けとめること自体が、悪から逃げてしまうことになりかねない。たぶん、不条理の相当部分が悪だと思います。それで、私のような神学を学んだ者が整理すると、悪は罪から出ていて、それゆえ原罪論の問題になるんだけれども、文学においてはそこまで訴求しないほうがいいと思います。でも、悪は悪として見ないといけないと思う。

香山　トランプ大統領が議会演説した直後に、メキシコの前大統領がツイッターで「これはイービル（evil 悪）だ」と言い切っていましたね。

佐藤　トランプは大統領就任演説で、旧約聖書の詩篇第133篇やシオニズムの詩を引いたでしょう。そのあたりも私には怖いんです。トランプという人には確信があるから。

香山　自分に確信があり、まったく他者と議論ができないという人たちが、何で今、こんなにたくさんいろんなところに出てくるんでしょう。

佐藤　それが最大の問題です。

日本学術会議の声明

香山　どうしてそう思ったかというと、日本学術会議が一九五〇年と六七年に出した軍事研究に関する声明を見直す検討委員会を二〇一八年の三月までやっていました。私は反対派として、委員会の傍聴に何度も出かけました。当時の会長の大西隆氏は軍事研究推進派なんですが、委員の皆さんがだいぶ頑張って、やっぱり慎重にやりましょうという流れになっていたんです。反対派は、これで推進一辺倒にならなくてよかったと言っていたのですが、大西会長や防衛省の人が「これは自分たちの大勝利、軍事研究をついに解禁！」みたいなことを言った。これのどこを読めばそんなふうに解釈できるのか。それぐらいに反対派の意見が強い意見書になっているはずなのに、まったくそれを無視して、軍事研究容認、解禁と喜んでいる。この状況っていったい何なんだろうと。

佐藤　それ、おもしろい話です。三浦瑠麗さんと元外務大臣の高村正彦さんの対談で、国連の集団安全保障、これは集団的自衛権とは別ものですが、国連の集団安全保障に日本が参加できるようになったという話が出ている。けれども、それは高村さんが言っているだけですが、そうは読めないという人が多数派です。高村さん一人が空回りしている。

また集団的自衛権に関しても、自衛隊なんかどこへも出せないでしょう。中国が南シナ海に造った人工島の周辺海域に日本はイージス艦すら送れない。集団的自衛権で日本の軍事力が強化されたというのは少数派の意見です。

香山　少数派でも、言い切ってしまう、断言しちゃうほうが強くなるということはないですか。

佐藤　理論的にはあるが、現実にはない。原因は集団的自衛権を憲法の枠内に封じ込めている公明党の姿勢にある。だから、そういった具体的な政治力学においても、三浦瑠麗さんは今すごくずれたことを言っているわけです。その地雷になる問題で、新潮社と潮出版社で二つのイスに同時に座ろうとしているわけです。

香山　それを蓋然的《がいぜんてき》に指摘する人はいないんですか。おかしいでしょ、こっちとこっちで言ってることがちがうでしょうと。

佐藤　両方読んでいる人がいないからだと思います。

香山　拍子抜けするようなお答えです。

佐藤　新潮新書で彼女が書いたものを読む人は、潮出版社の新書は読まないし、潮新書を読む人は、新潮新書の彼女の本は読まないんじゃないでしょうか。両方読んで俯瞰する人は少ない。

香山　彼女はものごとを常に俯瞰しているのに、読者はちがう。でも、まったくいないとも思わないけど、仮にそういう人がいて指摘されたら何と答えるんですかね。

佐藤　指摘されても答えないと思う。明確に矛盾したことは言っていないから、「あなたの受け止めの問題だ」ということになる。

香山　そうですね、それも今起きていること。だからトランプも、矛盾したことを言ったり、前言をひるがえして平気ですものね。

「ニュース女子」と長谷川幸洋

佐藤　無責任な態度ということならば、いささか旧聞に属することですが、二〇一八年に定年退職された元東京新聞論説副主幹の長谷川幸洋さん。あの人も、自分のやったことに対して答えていないでしょう。

香山　長谷川さんが司会をしていた「ニュース女子」というTOKYO MXテレビの番組のことですね。二〇一七年の一月六日に放映された番組で沖縄に関するひどい中傷があって問題となりました。基地反対活動をしている人は地元の救急車を妨げているとか、日当をもらって参加しているといったデマを放送したのです。私たちは公開質問状も東京新聞に送りましたが、それに対して彼は何にも答えていない。

佐藤　彼を新聞社から追い出したほうがいいという意見もありましたが、私はそうじゃないと思った。追い出したという印象になると、「沖縄人はゆすりの名人だ」と言い放ったケビン・メア（元在沖縄総領事）や解任されたロバート・エルドリッジ（元在沖縄米軍海兵隊外交政策部次長）みたいに、沖縄を攻撃する陣営の中で英雄になってしまう。それは避けたほうがいいと思いました。

香山　小さなローカル局のちょっとした番組ですが、この事件には今の時代のいろいろな状況が集約されていると思う。

東京新聞の中にいたら同じようなことはできないですからね。

佐藤　本書のテーマである「不条理の構造」に通じるわけです。

香山　そうでしょうか。メディアがそれでよいとは思えませんが。

佐藤　だってこれは、東京新聞にとっても不条理な状況なのです。編集局長が「問題あり」という見解だし、論説主幹も「問題あり」と言った。

香山　深田実論説主幹が「深く反省している」と、二〇一七年二月二日付紙面で謝罪しました。

佐藤　彼らが問題ありだと言ってるのに、副主幹の長谷川氏がそれにほっかむりしているというのは、組織が壊れているということになる。だから、その意味においては、東京新聞は言論の自由がすごく保障されているところということになる。

ところが、本人も開き直って「もっとやるぜ」という感じでは全然ないでしょう。だから、内《うち》弁慶《べんけい》の域を超えていないですね。

香山　従来だったら、自分の所属している組織が外に向かって、自分のことで謝罪したとしたら、ふつうの人であれば、もう恐縮して会社には来られないですよ。でも、長谷川さんは全然そうじゃない。

佐藤　でも、それは経産省で古賀茂明さんがやったのと構造は一緒ですよね。

香山　確かに官僚時代に内部批判の本『日本中枢の崩壊』『官僚の責任』を出した後も、しばらく官庁にとどまっていました。

佐藤　だからおもしろい。右とか左じゃなくて、構造として見ると、あっちこっちで不条理が形になって表れている。

香山　古賀さんをかばうわけではありませんが、それも含めて戦いだと思ってやってきたんじゃないかしら。

佐藤　戦うと同時に、おもしろがっていたと思いますよ。

香山　そうでしょうか。長谷川さんは何も感じていなかったみたいですよ。中の人に聞いたら、いつもと変わらずふつうに論説室に来ていたと。

TOKYO MXテレビの幹部に知り合いがいて、その人たち個人としては「これは問題だ。きちんと対処しなければならない」とか言っているんだけど、ホームページで驚くべきような事務的な自己正当化をしている。「うちはきちんと放送法にのっとった放送をしている」とかね。

佐藤　でも、彼らは検証番組をつくる義務がマスコミ人として当然ある。

香山　検証番組ではなく、独自の沖縄取材番組をつくるにとどまりましたね。でも、その後に驚くような開き直った感じにしか見えない文書を発表していて仰天しました。内部には誠実なテレビマンもたくさんいたのを知っていた私には、ショックでした。「大したことない」と本当は思っていたのかと。その程度のものなんですか。

佐藤　そうだと思います。現場の人が口を揃えて「悪いことはしてない」と言えば、そういう文書になってしまう。

香山　長谷川氏は個人的に話をした人に、「おれ司会だから何も知らないんだ」と言ったという情報もありました。

佐藤　それは変だ。番組が始まるまでに台本が配られるから、台本を見て、これはまずいと思った瞬間、止めるはずです。「おれは、これできない」と。これをやると自分が東京新聞での立場が悪くなることくらいわかる。

香山　それぐらいの自覚はあるのでしょうか？

佐藤　だから、その自覚すらなかったと思います。

香山　そんなバカな。

佐藤　自覚があれば、こんな事件を起こしていないでしょう。番組サイドが司会に対してその日のテーマを言わないなんてありえない。

香山　私もテレビのコメンテーターをしていましたが、MCが事前打ち合わせをしないなんて信じられません。

さっき言った日本学術会議の「軍事的安全保障研究に関する声明」の検討委員会もまさにそうで、そういう人が二、三人いる。一応学術会議の委員や学者なのに、何度も同じ質問をする人とか、バカの役をする人がいるんです。

たとえば、「今は一九五〇年の先例のときとはちがい、自衛隊というものもあり」ということを何度も繰り返す。それで、〝壊れたテープレコーダー〟とか陰口されているんだけど、そういうことをされると、もう議論のとっかかりがなくなって、みんな無力感に襲われ、委員長もさすがに語気を荒げて、「それは一〇月にも議論しましたよ」とか注意する。でも、それは一つのディベートの戦術で、その人はそういう役割を担っているのかなと。

佐藤　討論を通して、根源において合意を形成するという気構えが破綻《はたん》している。自分たちはやるようにやるんだと。抜け穴はいくらでもあり、結論がどっちに決まっても一緒、こういう発想です。だから、そういう人間は本当に怖い目に遭わせないかぎり変わらない。

香山　なるほど。半ば冗談で、その人の家に押しかけたりしないとわからないよね、でもそんなことをしたら犯罪だしね、などと言うことはあったんだけど、でもそれぐらいしないと……。

佐藤　そんなことをして逮捕されてもつまらないですよ。

香山　私は結局、直接交渉しかないと思うんです、最終的には。

佐藤　それから、藁人形《わらにんぎょう》とか。

香山　呪術に頼るんですか？

佐藤　藁人形の呪い。香山リカがやっているらしいと知れても、それ自体は犯罪にならない。不[*69]能犯だから。

香山　それは、そうですが……。

佐藤　でも、藁人形をやっているところを写真に撮って送ったらダメですよ、脅迫になるから。

香山　私は反スピリチュアルなので、そんな手段は使いたくないですが。そういえば、トランプ支援者の会もおかしな恰好《かっこう》をした人たちが集まって何かやってましたよね。

佐藤　不条理の力を過小評価してはいけません。

「不条理ゆえに我信ず」というわけです。最終的には不条理な事柄を信じるわけだから、まずその前に徹底的に条理を尽くさなきゃいけない。そこを飛ばして不条理に行くというのは、不条理に対する不当適用なんです。

香山　此岸《しがん》での議論をし尽くしてこそ、「不条理」という彼岸が見えるわけですね。でもそんな人、いるでしょうか。

佐藤　不条理な言説が理論的装いをして出てくることもあります。中央公論の新書大賞をとった橘玲《たちばなあきら》氏の『言ってはいけない』（新潮新書）は、一言で言うと優生思想ですね。今は優生思想がさまざまな形でよみがえっています。

橘さんの枠組みは動物行動学研究家の竹内久美子氏に似ています。彼は生物学の専門家ではない。オリジナルなアイデアが遺伝子に基づく議論なのですから、橘さんの本を読む人はそのことを知っておく必要があります。

香山　そうなんですか。気がつきませんでした。

佐藤　橘さんの記述のスタイルは、それこそ船曳建夫《ふなびきたけお》と小林康夫が書いた『知の技法』（東京大学出版会）の最初の論文の書き方で示された反証主義的な手続きを経ていない。反証可能な形を取らずに断定している。

香山　でも形式だけでも身につけてもらわないと。考え方のトレーニングができてない人もいるわけですから。

佐藤　その通りです。しかし橘さんの言説は科学に裏付けられているという印象が醸し出されている。まさに不条理なことが起きているわけです。だから、不条理というキーワードはやっぱり重要だと思う。

香山　だけどその不条理を、まさにそこを指摘する人もいないし……。

佐藤　不条理をめぐる戦いと思っている人があまりにも少ない。

香山　指摘しても、それがどうしたのということになるわけで。

佐藤　条理と不条理の問題が少し見えてきました。ところで、捜査現場では条理という言葉はこういうふうに使います。「本日三時三〇分、被疑者は捜査関係者の条理ある説得と不眠不休の努力によってついに全面自供しました。皆様に感謝申し上げます」と。ここで「条理ある説得と不眠不休の努力」というのは何かというと、警察官が被疑者を寝かせないで怒鳴り上げるということです。

香山　法学用語の「条理」は〝事物の本性〟という意味と聞きましたが、現場ではそんなふうに使われているんですね。

佐藤　そうです。だから不条理と戦っている人たちと、その戦い方をこれから見ていきましょう。でも順番としてはまず、なぜ不条理が不条理のまま放置されるのかについて検討することが先ですね。いわば、不条理の「形而上学」です。

＊68　水晶の夜（クリスタル・ナハト）　1938年11月、ドイツの各地で発生した反ユダヤ主義暴動。ナチス政権による「官製暴動」の疑惑とされる。この事件以降、ドイツにおけるユダヤ人の迫害が顕著化して、後に起こるホロコーストへつながる。

＊69　**不能犯**　犯罪を犯そうとする意思をもって行為に及んでも、その行為がもともと犯罪になる可能性がなく、未遂犯にもあたらないとされる行為。たとえば、藁人形で人を呪い殺そうとすることなど。

第３章

なぜ不条理が不条理のままに放置されるのか

アイヌ問題と小林よしのり

香山　なぜ不条理のほうがのさばるのか？　私がそれをすごく身に染みて感じたのは、佐藤さんにも当時いろいろアドバイスをもらったんですけど、二〇一五年、小林よしのりさんと対談をしたときです。なぜ対談になったのかというと、札幌の元市議が「アイヌ民族なんてもういない。アイヌ民族と主張することで不当な利権を行使している」みたいな話を突然言い出したので、何言ってるんだこの人と思っていろいろ調べてみたんです。そうしたら、そのネタ元になる本はいろいろあるんだけれど、それをいちばんポピュラーにしたのは小林よしのりさんの本だったんですね。

佐藤　しかも彼が最初に依拠した言説は、平凡社世界大百科事典の旧版に記載されていた知里真《ちりま》志保《しほ》執筆のアイヌに関する記述じゃないかな。

香山　小林さんの漫画によると、アイヌを先住民族と認めるという国会決議をしたときに全員が賛成したのを見て、これは変だと思ったと彼は言うんですね。その前、アイヌをどう思っていたかはよくわからないんですが。

佐藤　そうそう、そういう文脈でした。

香山　で、彼が北海道に行って最初に接触した人が砂澤陣《すなざわじん》という、アイヌの有名な芸術家砂澤ビッキの息子なんですが、いろいろ紆余曲折《うよきょくせつ》があって、それこそ学術会議の大西さんじゃないけど、今や彼はアイヌを糾弾する側にいる。

佐藤　沖縄にもそういう人はいます。

香山　そう、我那覇真子《がなはまさこ》さんと同じですよ。小林さんが言うには、アイヌ協会に取材を申し込んだのだけど、アイヌ協会がビビッて取材を断った。受けてくれたのは砂澤さんだけだったと。その砂澤さんに言われたことを全部鵜《う》呑《の》みにしているんですね。アイヌなんていないと。

佐藤　意見が対立する問題については、一つの言説だけでなく、複数の言説を調べて検討するというのは知を扱う人の基本ですね。

香山　そう。それで、まあ私も無謀なことに、対談で小林さんを説得しようと思って一生懸命資料を揃えたのです。今国連の先住民族の権利条約はこうなっている、アイヌが先住民族だというのは、こういう論文によって文化人類学会も認めていると。そんな資料を揃えてすべて見せたら、「おれは知らん、そんなもん読んだことない。国連？　左翼はすぐ国連、国連と言うんだ。そういうことを言うやつがいちばんきらいだ。連れてこいよ、アイヌを。アイヌの格好しているやつなんていないだろう」とか言うわけです。

それで、「連れてこいと言われても、今は日本人なんだから、それはいないですよ。植民地みたいにされて、独自の文化や生活習慣も奪われ、伝統的な生活もできなくなったわけだから」と私が言うと、「砂澤陣は、日本人になってよかったと言ってるよ」と切り返してくる。

佐藤　小林よしのり流の論法ですね。それじゃ対話が成り立たない。

香山　そのときは、アイヌ人も日本人になるのはいいことだと思った。もうそんな服を着る必要もないし、ふつうの日本人の格好をして、文化的な生活をしていいと散々吹き込まれて、喜んでそれをやってしまった。だけど後になって、やっぱり自分たちの文化を捨てたことを悔やみ、今はまた権利を回復したいと思ってやっている。そのどこが悪いのですか？　そんなふうに言ったんだけど、とにかくまったく聞く耳を持たないので困りました。

佐藤　理解不能なことになると全部スルーしちゃう。

香山　だから、この説得の仕方はダメだったんだと。

佐藤　でも、それは霞が関が日常的にやっていることじゃないですか？

香山　えっ、どういうことですか？

佐藤　霞が関の省庁間相議《あいぎ》というのは、最初から結論が決まっている。話し合って互いに譲るなんて発想はない。まず担当官レベルで協議する。それでダメだったら課長補佐に上げる。課長補佐に上げてもダメなら、外務省の場合、首席事務官、他省庁は筆頭課長補佐に上げ、なおかつそれでもダメなら課長に上げる。ふつうはそれぐらいのところから折り合いがつくわけです。それが課長でまとまらなければ局の参事官に上げて、局参事官でまとまらない場合は局審議官に上げ、そこでもまとまらないときは局長に。局長でまとまらなければ官房長に上げて、官房長でダメなら外務審議官に上げて、それでまとまらないと外務事務次官に上げる。でも、そこで真実を追求しようとかいうことではまったくない。それで、最後は大臣折衝になる。そしたら足して二で割るみたいな感じになる。

小林さんのやり方というのは、その意味においては官僚が霞が関でやっている省庁間相議と一緒です。ただ、省庁間相議には一応ルールがある。ディベートもある。だから、事実とか数字は一応認める。小林さんの場合はそれも無視している。となると、完全なトートロジー（同語反復）になってしまう。命題関数に何を入れても必ずプラスになって出てくると。絶対に当たる天気予報だ。あすの天気は晴れか、晴れ以外のいずれかですと。しかしこれは、天気に関する情報は何もない。そういう話ですよね。小林さんがやっていることは政治的です。政治がテーマになれば、敵か味方しかいない。一部の過剰同化したアイヌ人たちと一緒に行動して、アイヌ民族は存在しないということで、現実に存在しているアイヌ人たちの生存権を脅かしているわけです。それは政治的対決ですから力でねじ伏せるしかないのです。

天皇制と国家神道への道

佐藤　前回の対談の後、もう一度、小林よしのりvs.香山リカ論争を読み直してみました。

香山　ブックレット『対決対談！「アイヌ論争」とヘイトスピーチ』ですか？

佐藤　そうです。読んでみると、小林さんの言説はきわめて合理的かつ非学術（科学）的なんです。でも、合理的だけど知的でない議論というのは、世の中にいくらでもある。たとえばユルゲン・ハーバーマスが『コミュニケイション的行為の理論』[*70]の中で言っている例があてはまります。人が病気になるのは悪魔の呪いのせいだとする。私の娘が風邪をひいたんだが、どの悪魔が呪いをかけたのか。この思考は、完全に合理的なわけです。しかし、非学術的なんです。

だから、小林氏の言説というのは、ある前提に立った上での合理性を追求している。要するに、アイヌ人はいないと、なぜならば、アイヌ人はいないからであると。

香山　改めて解説されると、納得がいきます。それに対して、こちらは科学的合理性で向かったからダメなんですね。

佐藤　ダメです。土俵がちがうからです。小林さんはこのトートロジーを繰り返すだけです。一種のスコラ（哲学）なんですよね。

香山　「問題（テーゼ）・異論・対論・解答」からなるけど、結局、答えは出ていないトマス・アクィナスの『神学大全』ですか。

佐藤　だから本人は、きわめて合理的だと思っているのではないですか。小林さんだけではありません。先ほどの『ニュース女子』の話にしても、安倍首相の話にしても、基本的に世の中は今左のほうに寄ってるから、それをちょっと真ん中に寄せただけで、自分は中立なんだと。こういった感覚でトートロジーを振り回す人が少なくない。

あの森友学園の籠池さんに関しても、最大の問題は彼の神道理解です。彼は、神道は宗教じゃないと言っている。実はこれが、この事件のいちばんの争点のはずなんです。なぜなら、この論理で国家神道は事実上の国教になったからです。戦前の国家神道は、神道は宗教ではない、日本臣民の慣習であるから、どんな宗教を信じている者でも神社に詣《もう》でなさいとされていた。これはまさに国教化の論理なんだけれど、誰もそれを指摘しないでしょう？

香山　例の「瑞穂《みずほ》の國記念小學院」ですね。「安倍晋三記念小学校」にしようとしたとも言われていますね。

佐藤　そう。だから彼の神道教育観はきわめて危険な考えなんです。本質は、彼が「神道は宗教ではない」と言っていることにある。それは神道を国教にすることであり、戦前への回帰であり、きわめて危険な要素があることを誰も指摘しない。有識者が気づかないのか、あるいは、気づいてもめんどくさいから言わないのか。天皇の生前退位の問題も一緒です。一九七〇年代だったら、少なくとも社会党の左派は、共和制支持の立場から、そもそも生前退位うんぬんという問題自体の存在に疑念を向けていたはずです。

それから、日本共産党にしても、とりあえず戦術的に天皇制は認めるけれども、基本は共和制だってことは隠さなかった。ところが今や、共産党がそれを戦術的に隠しているとは、私には思えない。

香山　そういう主張をすると、支持が得られないからじゃないんですか？

佐藤　そのレベルではないと思う。

香山　基本的に受け入れているわけですか。

佐藤　そう思います。ああいったイデオロギー政党は党内議論では意外とウソをつけないので、イデオロギーの本質に関わるところについては戦術的なことは言わないわけです。

公明党の場合は、イデオロギー的には支持母体の創価学会と同じと考えていい。そもそも「立《りっ》正安国論《しょうあんこくろん》」が国家諌暁《こっかかんぎょう》です。天皇に対してきちんと国を統治してくれということです。これは日蓮大聖人の考えでもあるので、天皇を否定することはない。ただし仏法から見れば天皇も他の人と同じ凡夫の一人に過ぎないという考え方です。

香山　まぁ、リベラル派としては、今や天皇をある種の護憲の象徴みたいに捉えている。

佐藤　確かに。しかしその議論自体というのは、実はめちゃくちゃな議論なんです。

香山　とはいえ、そこに依拠するしかないのも事実で。

佐藤　その言説は万邦無比《ばんぽうむひ》のわが国体の中に入ってしまっているわけです、実は。

香山　それはそう思います。でも、そこにしか「よすが」がないから、リベラルな価値観を持っているはずの天皇をむしろ利用する……。でもこれは、ポストモダンの発想と関係しますか？

佐藤　私は関係していると思う。歴史に連なる天皇という「大きな物語」を無視してプラグマチックな観点で役に立つからといって天皇を利用する。この知的態度はポストモダンと親和的です。

不条理な医師たち

香山　私、前から佐藤さんに聞きたいと思っていたことがあって、その一つは、漫画家の西原《さいばら》理恵子さんのこと。不条理といえば、あれほど不条理な人はいないんじゃないですか。あんなに弱者に共感して寄り添う漫画を描いたり、依存症のこと書いたりしているのに、パートナーは高須《たかす》克弥《かつや》さんじゃないですか。

佐藤　新自由主義の権化みたいな人ですね。

香山　新自由主義ならいいけど、高須さんは歴史修正主義者で、ひどい排外主義者だと思います。

佐藤　確かに韓国や沖縄に関する言説は排外主義的です。

香山　高須さんは、自分は西原さんと政治的な話は一切していない、彼女は彼女、まったくそういう次元じゃないところで付き合っていると何度も言っています。その高須さんが西原さんの『ダーリンは70歳』の中では篤志家みたいに描かれていて、それはシニアの愛を描いた素晴らしい作品みたいに褒められている。でも、高須さんはナチを礼賛したりして、とにかく極端な排外主義者だと思うけど、「思想信条を超えた愛」で済むのでしょうか。余計なお世話ですが。

佐藤　医者の中には優生思想に引き寄せられる人が時々いる。哲学的な訓練をきちんと受けていない医者で、しかも経済的な成功体験があると、自分は勝者だ、負けるやつは努力が足りないか、もともと能力が足りないからだ。そういう適者生存の考えに傾きやすい。医者の中にはそういう世界観を持っている人が残念ながら一部います。

香山　まあ、それはね。

佐藤　北海道のあの麻酔科の医師だってそうじゃないですか。

香山　『正論』に、国会のアイヌ先住民族決議に対して異議を唱える論考を書いた的場光昭氏ですね。アイヌを否定する小林よしのりのさらに上を行くイデオロギーを持つ医者です。

佐藤　ところで、興味深いと思うのは、香山さんは共産党への拒否反応がないことです。

香山　アレルギーはあまりないですね。

佐藤　それは、恐らく学生時代の香山さんにとって新左翼が遠かったことと関係していると思います。私のように新左翼運動の周辺にいた経験があると、共産党の暴力性、欺瞞性《ぎまんせい》に対する忌避反応からいまだに抜け出すことができない。

香山　返す言葉もありません。

北朝鮮の不条理は金正恩の合理性

佐藤　不条理と言えば、二〇一七年二月の金正男《キムジョンナム》暗殺事件もそう見える。ところが金正恩《キムジョンウン》にとってはちがうんです。それをうかがわせる資料を私は見つけました。二〇一三年にピョンヤンで刊行された『最後の勝利をめざして』という本。著者は金正恩です。
その中で、金正恩はこう書いています。「金日成《キムイルソン》同志は言った。すなわち革命家の子どもだからといって革命家になるわけではない。偉大な元帥たちが述べているように血は遺伝するが思想は遺伝しない。だから正しい思想を持っていないとだめだ」と。
その正しい思想というのは、従来の金日成主義では不十分で、「金日成・金正日《キムジョンイル》主義」だということで今は金日成主義から「金日成・金正日主義」へのイデオロギーの転換が進んでいるわけです。金正恩があえて自分は「金日成・金正日主義」だと言うことで、遺訓政治からの脱却を表明している。だから、金正恩は今フリーハンドを持っている。でも、この先例はスターリンです。レーニンは「レーニン主義ではいけない、正しくは『マルクス・レーニン主義』なのだ」とあえて言うことでスターリン主義を確立した。金正恩はそのことをよくわかっている。イデオロギーを抑えることで自己を正当化し、それによって自分がやるめちゃくちゃな行動をすべて説明できる。

香山　それが、金正恩だと。

佐藤　そうです。だから、彼の行動の中にあまり不条理なところがない。

香山　若くしてまだ準備ができていないうち、父親の予想より早い死に伴って権力を委譲され、とにかく自分にとって危険な人物を粛清し、周辺国を脅かしているだけなのか。

佐藤　きわめて合理的なのです。たぶん、こういうことだと思う。二〇一七年一月に金正恩は、アメリカに到着する弾道ミサイルの発射実験を近く行うと演説した。そうしたら、トランプがそんなことできないよと翌日のツイッターでつぶやいた。

大切なのは、そのトランプのツイートをＣＩＡ（米中央情報局）が北朝鮮のカウンターパートに対してどう解説したか、です。三つの解説ができる。一つは「ネゴ」をして、北朝鮮に諦めさせる。二つ目は外科療法。バンカーバスターで、ミサイルと核を造っている地下施設を吹っ飛ばす。ただし、バンカーバスターで吹っ飛ばすためには、場所を特定しないとできない。それには、ヒューミント[*71]、スパイを送り込んで探すしかないんだけれども、ＣＩＡはたぶんそこまでの能力はないと思うし、それは韓国の国家情報院も同じです。

となると、三番目の方法、「その指令を出す人物を殺してしまえ」です。その後で、中国と連携して金正男を後継に据える。過去三回の米韓合同軍事演習でやった「斬首《ざんしゅ》作戦」。あれはピョンヤンに攻め入って金正恩を捕まえて殺してしまうという訓練です。三番目の解説をＣＩＡが北に耳打ちしたとすれば、やられる前にやらないといけないと慌てて金正男を暗殺するという行為はきわめて合理的です。しかも、それを派手な劇場型にしないといけない。どうしてかというと、金正男の血筋を引いている人間はいくらでもいるので、その連中に知らしめないといけない。おれの後継になろうとすると、どういうことになるか、わかっただろうと。

クアラルンプール空港での金正男暗殺実行者の集め方は、まさに振り込め詐欺、オレオレ詐欺の応用ですよ。受け子と出し子は事件の断片しか知らない。さらにアダルトビデオの女優の勧誘の仕方も実行者のリクルートの参考になる。アダルトビデオの世界には女優が八〇〇〇人くらいいるらしいけれど、このうちのどれぐらいが自発的にその世界に飛び込んで行ったか。それは渋谷あたりでキャッチしているスカウトマンたちの腕しだい。その技法をテロに使えば、クアラルンプール空港での暗殺も考えられる。インテリジェンスの世界には、「クオーター化の原則」[*73]というのがあります。今はスパイに拷問に耐える訓練をしなくなったこともあり、薬と適宜な暴力を使えば、今のスパイは大体知っていることを話す。「クオーター化」とか「セル化」といって、その枠の中のことしか知らないというふうにしておけば、知らないことはしゃべれない。インテリジェンスの方法論としては実に見事です。[*72]

香山　そういった計画を立て、指令を出しているのが金正恩氏自身だとすれば、すごいと言わざるをえないですね。インテリジェンスのプロの佐藤さんから見ても、こうやってすべて理にかなった説明が可能なわけですから。

佐藤　意外とみんな気づいていないことだけれど、あのときマレーシアの当局が北朝鮮の二等書記官を捕まえると言った。みんなそんなことできるはずがないと思っている。外交官特権があるから。だけど、私にはピンとくるものがあった。

外交官は、その国に赴任したら登録をしないといけない。登録すると、外交官の身分票が発行され、外交官リストに入る。それによってウイーン条約上の身分保障が与えられる。それ以外の出張してくる外交官は外交パスポートは持っているけれど登録はされていない。もちろん身分保障もない。ただし、外交官を逮捕すると面倒なことになるので、登録されていない外交官でも司直の手にかかることはまずない。したがって暗殺犯たちはウイーン条約上の外交官ではない。暗殺にかかわるような外交官は、たぶんこうした長期出張という形で送り込まれる。実際、ソ連時代、東京のソ連大使館にいる工作員の何人かは長期出張の形で送られてきていましたから。

このように、一見不条理に見えることも、実はとても合理的なわけです。不条理な事柄にもある種の文法があるわけで、その文法に即した読み解きが必要になってきます。

医療現場の不条理

香山 なるほど。部外者から見れば不条理でも、専門家にしてみればきわめて合理的、ということは確かにある。医療の現場でもそういうことはあります。

佐藤 香山さんの武器は、やはり精神科医としての臨床経験と理論ですね。それで事象の読み解きが可能になってくる。

では、言葉が通じない人にはどうすればいいか、これは永遠の問題。言葉が通じないと、感情の破壊を起こしますから。

香山 私の臨床医としての経験からも、それはよくわかります。

私たちは、統合失調症でどんな妄想を持った人であっても、それを決して否定や説得はしない。

かといって話を合わせすぎることもない。まずは話してくれた、ということに敬意を払う。

そして、その妄想によって二次的に起きているであろう苦痛に焦点をあてるわけです。

「そうですか、常に盗聴器や監視カメラに狙われているなら、さぞかしストレスもたまり、眠れなくなることもあるでしょう。では、その薬を飲んでみませんか？　いやいや、決してあなたのおっしゃる盗聴器がウソだと言ってるわけではありません。それに関して私はにわかには信じることはできませんが、かといって嘘だと決めつけることもできませんし」

という感じです。そうやって、妄想の次元とは別の次元でコミュニケーションを図ろうとすると、意外に会話も成立するものですよ。

佐藤　柄谷行人[*74]氏が、『思想的地震』という講演集を出しています。その中で、価値観に対する定義についてこう言っている。「私が理解するところの他者はヴィトゲンシュタインの議論を使って、言語ゲームが成立しない人です」。

そもそもヴィトゲンシュタインは外国人に対して「言語ゲームが成立しない」と言っていますが、柄谷氏は「私はそれに精神障害者を加えている」と言う。ただし、精神障害者・外国人でも、言語ゲームが成立して合意が成立しうる場合があると。

柄谷氏はさらにこう言います。絶対に言語ゲームが成立しない他者は二種類ある。それは、「死者」と「いまだ生まれざる者」。その死者と生まれざる者というものを含めて考えたのがカントである。カントの言っていることは、ハーバーマスが言っているようなコミュニケーションとか合意形成なんかよりずっと理論の幅が広いと。柄谷のこの指摘はおもしろい。

死者といまだ生まれざる者との対話を聞いてやるということ。実はこれ、環境倫理学においてすごく重要なんです。でも、今そういう話をすると、精神に変調を来たしているのではないかと見られるかもしれない。

香山　そうですね。スパイに狙われているからそのスパイを殺さなきゃいけないとか言う人もいれば、反社会性パーソナリティーの持ち主もいます。まったく倫理観とか同情心とかを持てないという人たち。その人たちは説得して改心してもらうのは無理なんですね。だから、あなたの考えていることはよくわかった、でもあなたは捕まりたいですか、刑務所に入りたいですかと訊くと入りたくないと言う。あなたの今思っていることをそのままやったら絶対に人からおかしいと思われるし、刑務所に入ることになるから、それをとにかく我慢することができますか。そのほうが絶対にあなたに得だからと。

すると、意外にそれは「わかった」と受け入れるんです。で、あなたが言っているのは残念だけど妄想なんですと。盗聴器を見つけようと思ってそういう業者を会社に呼んだりしたら、それはあなたがおかしいということがバレて、この会社を辞めなきゃいけなくなりますよと。あなたのその思いを全部隠して、それをもう気にしないようにできますかと。そうしたら、「会社辞めなきゃいけないんだったら、それをやってみる」と。

佐藤　会社という引っかかりがあるから、解決の術《すべ》が出てきたんですね。

香山　そうですね。でも、それでももちろん妄想のほうが大きくなると、この場で盗聴するなとか言って暴れるかもしれないけれど、ある程度知性があると意外に自分で妄想を抑制できるんですね。

佐藤　盗聴器なら、もっとすごいモノを知っています。窓も盗聴器になる。窓の振動で盗聴できるんです。それとスマホは盗聴器を持って歩いているようなものです。盗聴されるような環境を自ら呼び込んでいる。

香山　現実が妄想に近づいているということですね。

放置される不条理

佐藤　不条理及び不条理的なものがなぜのさばるのか、なぜそのままに放置されるのか。それは、一言で言うと、ヘタに関わると面倒くさいからです。

香山　面倒くさいから？　どういうことですか？

佐藤　世の中は複雑です。一つ一つの問題がなぜ不条理なのか、情報を自分で収集して自分で考えるなんてことをしていたら、それだけで一日が終わってしまう。いや、一日あっても足りない。

ところが、それを非常に手軽な形で、自分が理解できないことを説明してくれるツールがあるわけです。それは人によってちがうけれども、圧倒的な強い影響を持っているのはテレビのワイドショーです。これは、ユルゲン・ハーバーマスが『晩期資本主義における正統化の諸問題』の中で言っている〝順応の気構え〟の問題です。これだけ発達した合理的社会から正しい情報が発せられているのに、何ゆえに無知としか思えないような態度が世間に広がっているのか。

それは、晩期資本主義では、自分が理解できないことは誰かが説明してくれるという形で〝順応の気構え〟が出てきて、その傾向がますます加速されるからです。

香山 なるほど。しかし今、ワイドショーを午前の時間帯にいったいどれほどの人が見ているのかということもありますよね。

佐藤 録画して見られます。ワイドショーの内容がユーチューブに上がる。だからワイドショーの威力は全然衰えていない。

香山 ワイドショーのニュースは、それこそツイッターとかで再生されますからね。やっぱりワイドショー自体が劣化しているというか。

佐藤 「ニュース女子」、あれはワイドショーじゃないですか？

香山 まあそうですね。ワイドショー形式ですよね。局は情報バラエティーニュースじゃないと言っていました。

佐藤 ワイドショー形式できわめて劣悪な番組が地上波に乗ってきたということです。

香山 だから私は、ここ二年ぐらいワイドショーの出演をやめてしまいました。それまで、二〇年近くワイドショーに関わっていたんですが。

私がジレンマに思っていたのは、私は精神科医の立場で出るので、そんなにはっきり物事の黒白をつけられないわけです。たとえば、何か凶悪犯罪があったとして、その犯罪にもいろいろ社会的背景があるとか、何か個別の本質的な理由があったんじゃないかと解説するのが私の役割じゃないですか。でも、本当にここ四、五年はそれが求められなくなって、とにかくまずこれは許せない、これは仕方ないとか、逆にこれは素晴らしいとかいう答えを求められる。

佐藤　確かに。それはこの一〇年間ぐらいのことですね。求められるのは、いわゆる明快な「ポジショントーク」です。でも〝順応の気構え〟はもっと進んでいるわけで。

香山　でも、もうちょっとグレーな意見というのか、私なんかはそれしか言えない。

佐藤　そうかな。二〇〇五年の郵政民営化[*75]のとき、グレーな意見なんてあったかな。あるいは、鈴木宗男事件[*76]のときも、グレーな意見なんてあったかな。

香山　そう言えばそうなんだけど、でも、私はグレーと言いたいんです。

佐藤　北方領土だって、グレーな意見なんてあったかな。

香山　いや、私が言っているのは、いわゆる理由が不明の凶悪事件のことです。

佐藤　凶悪事件については確かにそうだったと思います。複数の見解があった。ただし、二〇〇八年六月の秋葉原無差別殺傷事件の加藤智大《かとうともひろ》のときでも、グレーな意見はほとんど見られなかった。彼の背景を理解してやらなければと頑張っていたのは東京工業大学教授の中島岳志氏[*77]くらいじゃないですか。全体的な傾向について言うならば、確かに香山さんのおっしゃるとおりと思います。凶悪事件に関しても、政治問題に関しても、一つの意見に収斂《しゅうれん》する傾向が強まっている。意見が分かれる場合でも、多様性がない。あらかじめ敵と味方の仕分けをして、敵陣営の言説に正当なものがあっても認めようとしない。初期のナチスに影響を与えたカール・シュミットの「政治的なものの概念」がそのまま通用するような状況になっています。

＊70 **『コミュニケイション的行為の理論』** ユルゲン・ハーバーマスの項参照。
＊71 **ヒューミント** 様々ある諜報活動の中で、人による情報収集・分析活動。
＊72 **インテリジェンス** 国の諜報活動、あるいはそれを行う組織の総称。
＊73 **「クオーター化の原則」** 作戦の全体像を把握している人数を極力抑え、実行要員の一人一人には部分的な情報しか与えずに作戦を行うことをインテリジェンス業界では「クオーター化の原則」と呼ぶ。
＊74 **柄谷行人（からたに こうじん）** 哲学者・文学者・文芸批評家（1941年～）。『マルクスその可能性の中心』で第10回亀井勝一郎賞。『坂口安吾と中上健次』で第7回伊藤整文学賞。ほかに『哲学の起源』など。
＊75 **郵政民営化** 2005年8月、郵政民営化関連法案が否決されたことを受け、小泉純一郎内閣総理大臣は民営化の是非を問う衆議院解散総選挙に踏み切る。自民党が圧勝し、郵政民営化が実現する。
＊76 **鈴木宗男事件** 2002年に起きた鈴木宗男元衆議院議員を巡る汚職事件。鈴木自身は、国策捜査であり、えん罪であると主張している。一連の事件で、本書の著者佐藤優を含む12人が起訴され、全員の有罪が確定した。
＊77 **中島岳志（なかじま たけし）** 政治学者・歴史学者。（1975年～）。東京工業大学リベラルアーツ研究教育院教授。主な著作に『秋葉原事件 加藤智大の軌跡』『「リベラル保守」宣言』『血盟団事件』などがある。

第４章

不条理に染まる
メディアと社会

封じ込まれた権力批判――メディアと官邸

香山　メディアと不条理について話を進めましょうか。
　凶悪犯罪犯が許せる、許せないはともかく、こういう背景があったんじゃないかと、私がテレビなどで言っても、なるほどと少しは聞いてもらえた、当時はね。でも今は、たとえば権力批判がいちばん顕著だけど、ほとんど取り上げられなくなってきましたね。

佐藤　それを言うなら、民主党政権の三年間の権力批判というのは取り上げ放題だったんじゃないですか？

香山　そういう意味ではそうですね。ちょうど大震災がありましたので、その対応への批判という名目もできたのだと思います。

佐藤　それから、第一次安倍政権、その後の福田政権や麻生政権のときの権力批判も、ワイドショーを含めてすごかったと思います。

香山　そうですね。麻生さんの漢字の誤読が延々取り上げられました。

佐藤　だから、権力批判がいわばタブー化されてきたのは、第二次安倍政権が一年ぐらい経って、これはかなり強固な政権じゃないかとなってからのことです。

香山　それと、ワイドショーの制作担当者が、自民党や官邸から頻繁に電話が来るようになったと言っていました。それこそ菅義偉《すがよしひで》官房長官あたりから直接電話が来て、今のは何だ、偏っているぞとか……。

佐藤　その逆もあると思う。「どうもありがとう、非常によかった」とかね。その意味では、今の官邸はきめ細かくなっているんだと思います。

香山　第二次安倍政権が誕生する直前、二〇一二年暮れの総選挙が終わったすぐ後に、ＮＨＫで「新政権を問う」みたいな結構長時間の特集番組があったんです。自民党は石破茂さん、公明党は山口那津男代表、コメンテーターは私と[*78]藻谷浩介さん、[*79]萱野稔人さん、それと[*80]藤原帰一さん。

人選としては全然超左派じゃないはずなのに、そのメンバーが発表されたときに、安倍さんのフェイスブックに「ＮＨＫの偏向はひどい」とアップされた。後で消しちゃったけど。「藤原帰一は私が論破した」とか、「藻谷浩介は恥を知れ」とか、「香山リカは論外だ」とか、本当にひどい内容だった。それでＮＨＫの人がびっくりしちゃって。

このとき、官邸の秘書という人からも、「この番組は意見を募集しているので、皆さんどんどん意見を言いましょう」という呼びかけがあったんです。

佐藤　そのときの安倍さんの心理は、香山さんの評価とはちがうと思いますね。香山さんは医師国家試験を受かっている。藤原帰一は東大の優秀な先生、藻谷浩介も東大出身。みんな超学力エリート。安倍さんは、自分たちは虐げられた者たちの代表だと思っているんです。

香山　藻谷三兄弟は全員東大ということで有名ですね。

佐藤　安倍さんにしてみれば、そういった形でエスタブリッシュされた連中がこの日本を牛耳《ぎゅうじ》っている。それに対して、自分たちは民草の代表だと。それが彼らの戦後レジーム批判の根なのです。イデオロギーの左右とはちょっとちがって、階層的上下からくる批判なのです。

香山　そんなぁ……。あちらは国家の最高権力者です。

佐藤　「知」も含めて、階級的にも、自分たちは必ずしも高いところにいないと思っている。

香山　すでに政権をとるのが決まっていて、向こうが圧倒的に権力者じゃないですか。

佐藤　そうは思っていない。あの人たちは今でもそうです。

香山　元日テレ政治部の青山和弘記者が書いた『安倍さんとホンネで話した700時間』という本に、安倍さんは自分を少数者だと思っている、抑圧された少数者であると。思い出せば、確かにそう書いてありました。

だけどそのときは、何て懐が浅いんだろうと驚いちゃって。もう権力をとることが決まっているのに、何でいちいち私たちみたいな、それこそこっちは小市民だと思っているんですが、名前をいちいち挙げ連ねて、まだ番組をやる前から警戒してそんなことをSNSに書いてくる。そんな必要ないじゃない？　と思うじゃないですか。

石破さんなんかは、その番組ではこちらの話にも耳を傾けてくれ、ジェントルでしたね。

佐藤　だから石破さんは一頭地を抜くことができないわけです。民衆の代表になれない。

香山　それ、わかります。もちろん公明党の山口さんもジェントルで、私たちが何を言っても、すごく親切に答えてくれて、別にこっちに嚙みついてきたりはしない。番組が終わった後も、「すみません、ちょっと失礼な言い方もありましたかね」と私が言ったら、「いやいや、そんなことないですよ。いろんな意見がありますからね、これからもよろしくお願いします」みたいなことを言う。

佐藤　腹の中で失礼きわまりないと思っても、あるレベル以上の政治家でそれを口に出す人はいませんよ。

香山　だけど安倍さんはそれを顔に出す、たぶん。だって、やる前から、それこそ失礼きわまりないじゃないですか、香山は論外だなんて。

佐藤　たぶん、腹が立ったんでしょう。

香山　だからびっくりしたんです。これって何が起きているんだろうと。その日の番組にも、私たちの発言に対して視聴者から「おかしい、失礼な」とかいうファックスやメールがどんどん来たらしいですよ。それで、NHKの人もびっくりしちゃって。

佐藤　NHKというのは何か変わったところですね。少し前のことだけど、地方支局のディレクターからインテリジェンス関係で取材協力をしてくれと言ってきた。私は「NHKの取材に協力する意思なし」とメールで送った。そうしたら「先生のお考えはよくわかりました」と。ところがその翌週、池上彰さんと会ったときに、「佐藤さん、NHKと何かあったの?」と訊かれた。NHKの記者が池上さんに泣きついたんです。

香山　それは、どうしてですか？

佐藤　何とかしてくださいということじゃないですか。いったい何があったのかを知りたいと。知りたければ、私に直接聞けばいいのに。

香山　ワンクッション、はさもうとした。

佐藤　そうです。変ですよ、ＮＨＫの体質は。

香山　その番組のあと、ＮＨＫは藤原さんとか私には出演を頼みにくくなったと、正直に言っていました。

佐藤　香山さんは実際に、その後ＮＨＫに出ていないのですか？

香山　ＢＳのバラエティー番組に年に数回。とくに政治的な番組からは全然呼ばれなくなった。福祉系が中心です。佐藤さんも週刊新潮に「忖度《そんたく》」について書いていましたが、ずっと前からＮＨＫの人たちが言っていました。「僕たち、忖度しちゃうんですよ」と。

佐藤　「忖度」というのは、ふだんは「気配り」と言っていて、問題になったときだけ、「気配り」が「忖度」という言葉になる。

香山　さっきのワイドショーの話じゃないですが、そういうことが、第二次安倍政権の後はやはり顕著に……。

佐藤　でも、押さえておかないといけないのは、第二次安倍政権が圧倒的多数の民衆の心と魂を摑《つか》んだことは間違いない。

香山　そこがいちばん大切なことです。人々のOSを取り替えた。

佐藤　その意味でNHKはそこからずれていた。民放のほうがそうした民意に近い。最近NHKがだんだん民意に近づいているというのが私の見方です。

香山　でも、それは民衆が魂をとられて、つまり自分たちが少数者であるとか、被害者なんだという意識を捉えたということですね。

佐藤　そうです。

香山　それで、民衆は何に対してそんなに被害者意識を持つのでしょう？

佐藤　何かに対して怒っている。それで何かを〝与えてほしい〟と思っている。

香山　安倍さんが、朝日新聞[*81]が吉田証言について謝罪した次の日に、「皆さん、私たちの名誉が傷つけられました」とラジオでしゃべっていた。いや、別に慰安婦の問題に関係してない人の名誉は何も傷ついていないでしょう。というか、ほとんどの人は何も関係していないと思うんだけど、朝日新聞原告集団訴訟というのがあって原告団は二万五〇〇〇人なんです。その人たちは怒っているわけ。「朝日新聞、謝れ。おれたちの名誉が傷ついたって」。でも、その二万五〇〇〇人のうちには朝日新聞の購読さえしてない人もたくさんいると思うんですけど。

佐藤　購読していないほうが圧倒的多数でしょう。この現象に関しては、十数年前、ロバート・ベラー[*82]のもとで勉強してきた元神戸女学院院長の森孝一氏が、『宗教からよむ「アメリカ」』（講談社選書メチエ）で、指摘をしています。

アメリカの保守派は「怒っている」が、その重要なポイントは「何かに対して」であり、明確な対象がないことであると。つまりティーパーティー運動などアメリカの保守系の運動をつくり出している源泉は、「われわれ白人は虐げられている」という恨みなんだと。

何かに対して怒っている「保守派」

香山　その保守派は、今のトランプを支持しているような人たち、ラストベルトの低所得の労働者たちなどのことですか？

佐藤　そうです。貧しい人たちだけじゃなくて、中産階級の白人も含めて、本来自分たちはアメリカ建国のコアであるはずなのに、その「われわれ」が侮辱されていると思っている。

香山　そうそう。それで、一つ疑問なのは、その場合、本当に虐げられている事実があって怒っているのかということです。

佐藤　それは関係ないですね。マルクスが『ルイ・ボナパルトのブリュメール十八日』[*83]で言っています。人間が持つ表象能力からして、代表を送り出す側と代表を送り出される側との間に合理的関係はない。怒れる当人たちが思っていることと、それが客観的なのかはまったくの別物である。だから、客観的な事柄というのは怒れる当人たちには届かないのです。

香山　まさにそうで、二種類存在すると思うんです。たとえば在特会[*84]も、どうやら大きく分けて二種類いて、一つは確かに最底辺の人たち。つまり、本当に搾取されているというか、与えられていない人たちが怒っている。

だけど、そうじゃないホワイトカラーとか宝塚在住とかいう人たち、橋下徹さんを支持するような人たちもいるんですね。その人たちは、そんなに今困ってないのに、どうして〝在日特権〟に怒っているのか。私の考えでは、今ある程度与えられていても、「もっと与えられていいはずだ」という、いわゆる自己愛がすごく肥大化しているのではないか。私の人生、こんなはずじゃない。もっともっと注目されたり、社会で輝いたりして、生き生きと生きられるはずなのに、このうだつの上がらなさは何なんだと。そんなに虐げられていないはずの人さえそんなふうに感じている。

佐藤　それはありますね。今はネットによってその感覚はより強められるし、彼らには香山さんはすべてを持っているように見える。だから、おもしろくない。でも同時に、きっとサインとか握手を求めてくると思う。香山リカと握手したと大喜びするんじゃないのかな。

香山　それもあるかもしれません。在特会のヘイトデモへの抗議、カウンターに何回か行ったんですよ。そうしたら、在特会の女の人が喜んじゃって、「あ、香山さんだ」と手を振ってきたり、それこそ一緒に写真撮っちゃったりして。こっちはバカにするなってもんじゃないですか。こっちはあんたたちに真剣に怒っているんだから、そんな手を振ったりとかするなよと思うんだけど、すごくうれしそうに、それこそサインを求めんばかりに寄ってきて一緒に写真を撮ったりするわけです。

私が行くことで、そこが何かすごいステージで、同じところに立っているみたいに思ってむしろ相手が喜ぶから、あなたは行くなって言われたりして。

佐藤　でも、その気持ちはわからないでもないです。香山さんのようになりたいんです。向こう側でもこっち側でもいい。同じ場所を共有して社会的に上昇できたと思ってうれしいのです。だから、写真も欲しい。ドロップボックスに香山リカの写真や関連記事を全部入れていたり、香山リカに関してエクセルで表をつくっているとか、二〇〇〇人ぐらいはいるかもしれない。

香山　いや、やめてください。

佐藤　ストーカーの心理に近い。

香山　そうかもしれないですね。でも、考えたくないです。

佐藤　香山さんは精神科医で、若いときからいろいろと注目される場所にいたから、ある意味芸能人と一緒。変なやつが来たときにはすーっと体をかわして、近づかないでオーラを出す手法を持っている。あの人たちにとって、そんなあなたに近づけたことはうれしいんです。

香山　私はうれしくないです。

反沖縄と反ユダヤに傾くふつうの人たち

香山　それはさておき、学校でも、あなたの夢は叶うとか望めば与えられるとか、誰でもが輝く天職はあるというふうに、自己愛を満たすことが人生の目的なんだみたいなことを教えられる。際限のない自己愛を満たすことが人生の目的なんだというようなメッセージを出すのは、大きな問題と思います。

佐藤　自己愛のインフレーションを起こさせるということですね。それについて、思い出すことがあります。安倍政権成立の直後、オスプレイ反対の統一行動がありました。デモは日比谷からスタートして、銀座にも行きました。私も参加しました。

香山　はい。当時那覇市長だった翁長雄志《おながたけし》さんも参加されました。

佐藤　そこに在特会が出てきて、われわれに対して中国がどうのこうの、非国民は出ていけと罵《ば》声《せい》を浴びせた。そのときデモの先頭にいた翁長さんが後にしみじみ言ったのは、「日本は変わったよ、佐藤さん」。何が変わったかというと、あの連中の数はたいしたことはない、車二台ぐらいで何度も行ったり来たりしている。しかし、この銀座通りに、ただの一人もあの連中に異議申し立てをするふつうの市民がいなかった。だから、今の日本ではもう統一行動などやっても意味がない。沖縄は「自己決定」のほうに向かわないといけないと思ったと。

知事になってしばらくしてから翁長さんと話したとき、「知事、どこで踏み切りましたか」と聞くと、この銀座のデモだったと。私もまったく同じ感覚だった。あのとき私のアイデンティティーは変化しました。

香山　歩行者は見て見ぬふり、異議申し立てをするふつうの市民がいなかった。逆にそこからカウンターになることを決意した人もいたそうです。

佐藤　そのあとでエマニュエル・トッド[*85]と会ったときに、トッドが、これからは反ユダヤ主義が起きると言ったんです。

香山　反ユダヤ主義ですか？

佐藤　そう、反ユダヤ主義。トッドの理屈はこうです。イスラム教徒たちがテロを起こし、当局が弾圧する。イスラム教徒たちはそれをユダヤ人の陰謀だと考え、反ユダヤ主義の方向に行く。それに対してヨーロッパ社会は無関心になっている。結果として反ユダヤ主義を止めることができない。イスラエルはそれをよくわかっているから、今イスラエル人に帰還を呼び掛けていると。

沖縄の問題もそれとすごくよく似ている。

問題は在特会じゃない。この日本の市民社会なのです。

香山　ヘイトスピーチのデモがあって、それをカウンターと呼ばれる市民たちが止めようとしているけれども、通りかかる外国人がいちばん不気味に感じるのは在特会じゃなくて、その場の通行者がほとんど無関心であるということだと。

佐藤　非常に奥の深い話で、いったいこの国に市民社会があるのか、納税者意識があるのかということにかかわることですが、ある意味、今のシリア国民と似ていますね。イスラム国（ＩＳ）があり、アサド政権がある。それに対してきわめて受動的です。異議申し立てをやったら殺されますからね。でも、一〇万人単位で異議申し立てをやれば、それは殺されない。

香山　日本がおもしろいのは、異議申し立てをしている数少ない人たちの中に、それがいいかどうかはわからないけれど、たとえばシールズの若者たちもいたし、反ヘイトの人たちや反原発の人たちもいて、結構多彩ですよね。
佐藤　でも、それは一部で、大衆には支持されていませんね。
香山　その近くにいた私からすると、本当に残念なことです。
佐藤　沖縄では、たとえばヘイトをやっている連中に対して、おまえら何やっているんだと言うのは、ふつうの市民です。
香山　沖縄にはまだ残っている。
佐藤　沖縄には「人民の海」があります。それがあるから翁長さんだってあそこまで走れたわけです。

日本における精神医学の不条理

香山　ちょっと話はずれるかもしれませんが、私は佐藤さんがモスクワに行ってらした時期は、医者をやりながら、ちょっと物を書く仕事もしていたんですが、前にも言ったように当時は、何か一生懸命やっているものをバカにする、高みから見て笑うという冷笑主義的な文化がありました。

佐藤　でも、香山さんは一生懸命やっちゃうんでしょう？　性格的に、何事も。

香山　いえ、ずいぶん長い間、私も冷笑主義的だったと思いますよ。「ああ、それは実はね……」と解説して済ませるような。でも、医者になって直接患者さんに触れて、超長期入院者の人権が侵害されていることや、尊厳もなく収容されてるような患者さんたちもたくさんいることがわかってきた。

頭ではフーコーとかを読んでわかった気になっていた『狂気の歴史』とか『監獄の誕生』[*86]とか、あそこに出てくるとおりの不当な処遇の人たちが実際に日本にもいたと実感したわけです。

ちょうどそのころ、私が医者になる少し前ですけど、「宇都宮病院事件」（一九八三年）、職員が患者さん二人をリンチして殺すという事件が起きました。そこは、どこも受け入れてくれない粗暴な患者さんを全部引き取ってくれる病院だったわけだけど、かなり支配的、暴力的な入院処遇が行われていたんです。

救いだったのは、そのころはまだ社会に人権感覚があって、精神科病院でそんなことが行われているのはけしからんと、マスコミも大きく報道していたんですね。

私が医者になってからも、そういった処遇困難例、その言葉自体が問題になったんだけど、そういう患者さんを何カ所かに集めて集中管理しましょうみたいな動きが精神医療の中に起きたんです。そうしたら、マスコミと患者会と家族会、精神科医の中でも人権派の人たちなどが、「とんでもない、人権侵害だ」とこぞって反対したのです。

当時私はまだ深い理解ができていなくて、あなたの病院にも処遇困難な人がいませんか、みたいなアンケートがきて、看護師さんと相談して「誰にしようか」とリストをつくったりしました。それでも、最終的には、そのころはパソコンがなかったから手書きの名簿なんですが、それを日本精神神経学会の「金沢の会」で、みんなが見ている前で焼却処分という決定になった。すごく儀式的ではあるんだけれど、本当に燃やしたんです。それは、こんなことはもう絶対やっちゃいけないという決意の証だったし、私も下っ端だったけど、万が一そのリストが流出したらどうなるのかと、すごく怖いことだと思いました。

今だったらたぶん、「リスト、いいんじゃないですか？」とか、「それがどうして問題なんですか？　それ、必要なんじゃないですか」みたいな反応になるんでしょうね。

佐藤　その「処遇困難リスト」は、対外的に発表するものなのに、匿名になっていないことが問題とされたんでしたね。

香山　発表というより、実際にそれに基づき重症者病棟への移動を執行するものでしたから。

佐藤　熊谷東中学校の発達障がい児の名前が出た問題。あれと一緒ですね。

香山　そうです。今も「津久井やまゆり園」の事件（相模原障害者施設殺傷事件）の後に、措置入院を見直すという話になった。でも検討委員会の精神科医らが思いのほか良心的な人が多くて、恐れられていたような措置入院を強化する方向にはならない感じなので、それはよかったんですけど。

佐藤　その検討委員会の人たちも、不条理な状況と戦っていた。

香山　でも、昔だったら、ああいう動きが出てきただけで大変な騒ぎになったはずです。

佐藤　ロシアでは、精神医療に関しては、ソ連時代の悪い人脈が継承されています。ロシア語の直訳では、「潜在性統合失調症」という病名を用いて反体制弾圧に関与した医師が現在も影響力を持っています。

香山　潜在性とはどういうことですか？

佐藤　これは反体制派に付けられた病名です。将来的に統合失調症が発症する可能性が高いという理由で反体制派を精神科病院に強制入院させました。

香山　日本では昔、「接枝分裂病」[*87]と言われていたものですね。接枝分裂病というのは、知的障害と統合失調症が合併している病気という診断名です。そういう患者さんが、私が最初に勤めた民間病院に何百人もいたんです。でも、ほとんどの方はまったく正常で、いわゆるホームレスみたいな人たちなんです。戦後間もなくのころに街をウロウロしていた人たちを一網打尽にして収容し、接枝分裂病という名前を付けて、ずっと閉じ込めていたらしい。私が勤め始めたころも、そういう人たちがたくさんいました。

佐藤　ジョレス・メドヴェージェフ[*88]の『告発する！　狂人は誰か―顚狂院《てんきょういん》の内と外から』の中に、ソ連でよく使われたのは「潜在性分裂病」だと書いてある。スターリンの時代は強制収容所に入れて、状況によっては銃殺、あるいは極端な労働を課して病死させる。

それがブレジネフ期になると、「ソ連体制は非常に素晴らしいものなのに、この人間はこの素晴らしい体制を悪く思っている。そうした異常な認識を持っているのは精神疾患だから、ほぼ隔離する必要がある」となった。

香山　それは、一応医者が診断するんですか？

佐藤　そうです。香山さんはソ連人の精神科医と付き合ったことはありますか？

香山　まったくないです。

佐藤　そもそも、ロシア人の医者を個人的に知っていますか？

香山　知らないです。

佐藤　でしょう。日本の医者はほとんどロシアの医師を知らない。ロシアには、総合大学の医学部はありません。医学部は総合大学じゃなくて、全部単科大学。そのほとんどが、何らかの形で軍と関係を持っていて、大病院の医者の半分は軍医出身だと思います。そうした状況で、精神医療や生物兵器開発とかをやっている。だから医科大学卒の医者というのは、かなり危ない世界に足をかけている人たちなのです。

では町医者はどうかというと、大半は看護師出身です。看護師の実績をある程度積んで、試験と実技試験を受ける。看護師を二〇年くらいやると医師になれる。だから、市内にいる医師のほとんどは看護師出身です。

香山　初めて知りました。

佐藤　臨床の現場では、難しい病気の患者は専門病院に送る。だから、外部の人間が医科大学と接触するのはすごく難しいんです。

香山　なるほど。ロシアの精神科医を知らなくて当然なんですね。

すべてがゲームの世界という悪しき相対主義

佐藤　ところで香山さんは、世の中の基本は合理的であるべきだと考えていませんか？　人間も、合理的な議論のもとでそういう良識が作用していると。

香山　私は理にかなわないことはあまり好きじゃないです。

佐藤　ところが私は、基本的に人間は不合理だと思っていて、だからこそ人間には宗教があると。究極において人間は不合理なものだけど、その不合理にいきなり飛んではいけないから、ギリギリのところまで合理性の世界を重視しないといけないと思っています。そこのところでは、二人の発想は合うと思うのですが。

香山　そこがすべての問題の根幹ですね。たとえ結果は不条理でも、私たちは此岸でギリギリまで最善を尽くして理性的でなければならない。

佐藤　たとえば小林よしのりさんにしても、三浦瑠麗さんにしてもそうだけど、ギリギリまで考えて非合理な領域まで飛ぶというのならいいのですが、「これが絶対に正しい」と最初から飛んじゃっている。そしてその位置でポジショントークを始める。それがこの人たちの特徴です。

香山　でも三浦さんの場合も、「絶対に」と言うけど、結局それは相対主義的なわけでしょう?

佐藤　相対主義的な絶対です。でも、その局面においてだけの絶対です。だから、この人たちにとってはすべてがゲームなんです。

香山　つまり負けることはない。勝ったと思ったときだけ勝ちを宣言すればよいゲームですか。

佐藤　しかし、それでは「合成の誤謬《ごびゅう》」が起きてしまうことに、この人たちは気づいていない。

香山　そうですね。でも通常、自分の中での脈絡とか、自分の中での統一が取れなくなると、人間はそこで不安定になったりしがちですよね。

佐藤　内部に不安定さを抱えているのか、あるいは徹底したニヒリストだから、そういったことについては何も感じないのか。それとも愉快犯的にやっているのか。そこはまだわからないです。

あるいは、思ったよりもあまり深く考えていない人たちで、それぞれの局面で頑張っているうちにこういうふうになっちゃったと。以前、香山さんと論戦した勝間和代[*89]さんがそういうタイプだと思います。メディアにいろいろと持ち上げられているうちに、自分の期待される役割がよくわかってくるから、そこを演じているうちに、だんだん辻褄《つじつま》が合わなくなって苦しくなっていく。バイクで事故を起こして、「あれ?　この人いつもは自転車に乗っている人だったんじゃないの?　なんでバイク事故なの」みたいな。

香山　でも勝間さんに打算はないし、正直な人なんだな、と最近は好感を持っています。

佐藤　勝間さんが誠実な人であるという点では私も同じ認識です。

「東京タラレバ娘」が社会現象化する不条理

佐藤　評論家の世界の「相対主義的絶対」も不合理のきわみですが、若者たちの間に蔓延《まんえん》する不合理の社会現象化もとても気になります。三年ほど前に話題になった『東京タラレバ娘』というテレビ番組には驚きました。

香山　私は見ませんでした。よかったら教えてください。

佐藤　視聴率としては一〇パーセント台だからまずまずですが、ネット視聴率を含めると、二〇パーセントを超えていた。講談社が原作漫画の売り上げが四倍に伸びたと言っていました。電子版も合わせれば五〇〇万部です。九巻セットで買う人もいますから。テレビと原作ではちょっと内容がちがうんだけれども、原作のほうがえぐいですね。

主人公は脚本家・鎌田倫子、三三歳。

どんなブラック企業でも会社は辞めてはいけない、徹底的にしがみついて正社員でいましょう。それから不倫はダメ。コトコトとビーフシチューを不倫相手のために煮るような、そんな恋愛はまったく不毛。なぜなら、それは経済的な将来性がないから。それからもう一つ、相手にほかに女がいて、そのナンバー2でとりあえずのつなぎという「セカンド」もダメです。

ダメなことから抜け出せないので、いまだに独身です。

では、何がいいのか。とにかく結婚の機会は人生に二回しかない。一回目は二二〜二三歳。相手は高校や大学の同級生。二回目は三〇歳直前。職場で知り合った男、この辺で妥協しないと三五歳までいっちゃう。そして、三五歳をすぎると、条件を大幅に下げないといけなくなる。生きていて死んでないという状態の男。そこまで下げないと相手は見つからない。

その三五歳を前にして、主人公は大いに焦っているところへ、ＫＥＹというイケメンの男が出てきて、「そんなタラレバばかり言っていると、一生独身だぞ」と言う。

この「東京タラレバ娘」、もし一〇年前、テレビドラマで、「おまえそんな生き方していたら一生独身だぞ」と脅し上げてても視聴率はとれなかったどころか、ひんしゅくを買っていたはずですが、大いにうけて、社会現象化した。

もう一つ気づかされたのは、私の周辺でタラレバ娘を話題にしている編集者たちはみな結婚している。また、二〇代の編集者たちの間で結婚が増えている。

このドラマに流れるのは荒唐無稽《こうとうむけい》かつ極端な生活保守主義。結婚に対して本当にビビッている。これは非常にショックでした。でも、今学生たちを教えていて感じる違和感とつながるものがあります。

香山　私の周りにもそんな人はいますが、その人たちは何を恐れているんですか。

佐藤　何かに対して恐れている。とりあえず、結婚を早くしないといけないと。たとえば、綿[*90]矢りさの『手のひらの京』でも、三姉妹の長女はとりあえず子どもを早く生まないといけないと焦っている。恋愛はいつまでもできるけど、出産には限界がある。私はもう三一歳、早くパートナーをつかまえたいと。

香山　それは、少子化で国家の危機だという啓蒙《けいもう》が行き届いているということですか。

佐藤　そうじゃないと思います。男女雇用機会均等法は一九八六年の施行だけれど、僕らの世代と、その下の四〇代の後半ぐらいの人たちというのが、全然ロールモデル（社会的評価対象）として扱われていない。これには違和感があります。

香山　わかります。いわゆる雅子さま世代ですね。年齢でいえば均等法第一世代。私がいて、安倍昭恵さんが私より二つ下で、雅子皇后が三つ下なんです。ちょうどそういう世代……。

佐藤　あるいは、少し下で酒井順子[*91]さんとか。

香山　酒井さんもその世代ですね。

佐藤　その世代が全然ロールモデルになっていない。

香山　わかります。大学を出て広告代理店に勤め、それから独立してエッセイストとして着実に仕事を続けながら、結婚して出産というライフコースは選ばなかった酒井順子さん。受験競争に勝ち就職競争にも勝って外務省に入りながら皇太子との結婚で退職し、いわゆる〝内助の功〟を発揮したり跡継ぎを産むことを求められた雅子さま。どちらも努力とそれに見合った成果を上げた人ですが、若い女性に「こうなりたい？」と聞いたら、おそらくは「別に」となるのではないでしょうか。

佐藤　結婚は素晴らしいことではない、その先が大変だということもわかっているんだけれども、とりあえず生活の安定のためには結婚は絶対に必要で、そのチャンスもぎりぎり三五歳ぐらいだと。こういう強迫観念ですよね。そうなると、やっぱり向く方向というのは全部「内側」になってくる。

「東京タラレバ娘」は最初は気持ち悪くて見る気が起きなかったんだけれども、丁寧に二回見て、それから漫画を二回読んでみたらこれは怖い、社会現象化していると。

香山　大学で「女性就労とワークライフバランス」というオムニバス授業があって、私も何年かそれのコーディネーターをすることになって、仕方なく全部出たんですけど、今言われたロールモデルみたいな先輩を呼んできて話をさせるんですね。つまり、仕事もしながら結婚しているという女性を呼んできて話させる。そういう人たちはみんな、それこそ生き生きしている感じで、何歳で計画的に出産しましたとか言うんです。

それがいいんだみたいなことを学生に教え込むのですが、五〇歳の生涯未婚率がいくらだかみなさんわかりますかと水を差すようなことを私が言った。二〇一五年の生涯非婚率は女性一四・一％、男性は二三・四％。だから、あなたたちが三〇年後に集まったら五人に一人ぐらいは結婚できていない。みんながあの先輩たちみたいに生きられると思ったら間違いで、そうじゃない準備もしておいたほうがいいと。そうしたら、受講者のレポートに「香山さんの話は何かテーマにそぐわない話だった」とかいろいろ書かれたんですけど（笑）。
佐藤　みんなおびえますよ、そんなことを言われたら。
香山　私は子どももいないし、法律婚もしていないので、生涯非婚組ですからね。

「三つの結婚」に見る不条理

香山　でも、結婚が高価すぎるというのもまた問題ですね。小倉千加子[*92]さんが『結婚の条件』という本で、女性にとって結婚は三種あると書いています。一つは「生存のための結婚」で、それこそヤンキーが共働きしないと生きていけないみたいなかたち。生存の次は「保存の結婚」で、それは父親がやらせてくれた生活をそこそこ続けていくみたいなかたち。三つ目は「自己実現のための結婚」。大卒とか大学院卒の人たちは、結婚によって成長したいとか、自分を高めてくれる相手と結婚したいとかいう願望がある。でも現実にはそれに見合った相手がいないので、不倫するか、一生独身になっちゃうと。
それを考えると、先ほどの「生きていて死んでいない」相手との結婚は、望みすぎの結婚、高価すぎる結婚をもはや手放しているわけでしょう。
佐藤　そうです。
香山　まあ確かに、自己実現とか言って結婚を抽象化しすぎて全然結婚できなくなっている人たちを、私の同世代でもたくさん見てきましたが、それに比べると現実路線に回帰したということですかね。ただ、レベルが低くなりすぎましたね、今は。だから、あまりにくだらなくて、逆にこれにも危機感がありますね。

佐藤　どうしてそれに危機感を持つかと言うと、貨幣、つまり全部数値に換算できる話になっているからです。

香山　勝間和代さんはかつて、著書の中で結婚をすすめる理由として、「独身のカップルがホテルに泊まると一泊いくら、でも結婚してマンションを買えば月の家賃はいくら」と一回のセックスあたりの費用を換算して、「だから結婚がお得なのです」というようなことを書いて話題になりました。

佐藤　もう一つおもしろいと思ったのは、悩みがあると女同士で女子会をやる描写。最初はフレンチとかイタリアンのお店でやっていた。だけど金がかかるし、てっとりばやく酔いたいと。だから、原作ではホッピー、テレビではビールだけれど、あれは明らかにアルコール依存症です。何か悩みがあって週四回飲み、へべれけになるまで酔って話す。これは、まさに依存症の特徴です。

香山　そういう人、確かにいますね。

佐藤　それは外務省の職員にもいます。周囲に見られている、生きづらい、という状況のもとで、なおかつ結婚も行き詰まるんだけど、生活のために結婚しないといけない。もう八方ふさがりになっている中で、とにかく「生きていて死んでいない相手」でも、とりあえず摑まえておけと。

香山　それで摑まえて、摑まえるなんて嫌な言い方だけど、それは条件が下がっているわけだから結婚できるかもしれない。だけどその先はどうなるんですか。

佐藤　わからない。

香山　その先が地獄になって、診察室に来るみたいな女性もたくさんいるわけですね。

佐藤　いると思います。アルコール依存症を抱えながら、そういった形で結婚する。女子会を禁止する男は最低だという話が出てきますが、それが示唆するのは、その先もアルコール会はずっと続くということです。

香山　そうですよね。だからアルコール依存に限らず、買い物依存やネット依存になる人もいます。

佐藤　それと、これもおもしろかった。主演の吉高由里子がバレンタインの日が来て、みんながチョコレートを買っている様子を見ている。吉高由里子が心の中で「みんな全員一度不幸になればいい」と捨て台詞《ぜりふ》をつぶやきながら街を歩く。この吉高に対する共感は結構強いようです。

香山　だけど、そういう女はすごく単純な役割、ジェンダーロールをやらされているわけです。とにかく過去のジェンダーロールを否定する方向ですね。ここ三〇年から四〇年、フェミニストといわれる人たちが懸命に頑張ってきたことが、まったく否定されるというか、無意味だったみたいな結論になっているのを感じます。

佐藤　その結論は間違いで、フェミニズムが提起した問題というのは、やはりすごく重要です。

香山　もちろん、そうです。

佐藤　だから、神学においてはフェミニズム神学[*93]がものすごく重要です。ただしそれが一般に広がらないという現実がある。

香山　小倉千加子さんや斎藤美奈子[*94]さんとかが一生懸命いろいろ言ってきたことが、何かあざ笑われるようなことに今なってしまっている。西野カナ[*95]的な不条理、つまり女は可愛くして男の人に選んでもらうのが幸せ、という感じがのしてきている。

科学者とは何をしている人？

佐藤　前にも言ったけれど、香山さんのすごいところというか、私が尊敬しているところは、臨床から離れないこと。

香山　自分では当然と思います。医者なわけですからね。

佐藤　しかし、その当然のことを貫ける人は少ないのです。臨床という現場をきちんと持っていて、たぶん、終身現役の医師でいくんでしょう。たとえば、うどん屋の同業組合の仕事をしている人が、もううどんを打てなくなっていますというんじゃ、これはまずいですね。

香山　医者という仕事は自分のペースでやりやすいですから。時々思うのですが、脳科学者を名乗る人はふだんどういう仕事をしているのかなって。まぁ茂木健一郎さんは嫌いじゃないんですけどね。高校も後輩だし、頭もいいし。

佐藤　それと、高校の同級生でもいるじゃない、東北大で研究している人。

香山　あ、大隅典子さんですか？　彼女は東北大でしっかりラボを率いて研究をしていますね。

佐藤　それと、苫米地英人氏もいますね。

香山　あぁ、そうでしたね。脳科学というのはすごい設備が必要になるから、確かに実践するとなると大変なんだろうと思うけど、論文を読んでるだけという人も多いんじゃないかなあ。医者はまぁ、ちょっと病院に行けば実践できるから、そういう意味ではすごくわかりやすい仕事ですね。

佐藤　脳科学者がやっていることは、神学と隣接しているところがすごく多い。心の問題とか、魂の問題とか。

香山　宇宙論や形而上学もはいってきますよね。

佐藤　あるいはＡＩ（人工知能）。でも、ＡＩをやっている一部の人たちの科学観とか哲学的なスタンスは単純すぎると思いませんか。

香山　まだ物理学者のほうに、実在とは何かとかを考える人がいますね。やっぱり、そっちの問題に突き当たるんですよね。ＡＩの人できちんとした科学哲学的な思考する人はあまり知りません。

佐藤　それが非常に怖い。科学哲学的、倫理的な発想がなくて、技術だけで先行している人。

香山　本当にそう。医者も全体としてそういう思考をする人は今少ないですからね。それはすごく怖いことだと思います。iPS再生医療の研究をしている人たちもそうでないと困ります。

佐藤　再生医療の限界はあるのかということと、それから再生医療と経済の関係ですね。

香山　後は生殖医療かな。デザイナーベイビーみたいな、遺伝子に手を入れることもやり始めているから、それをやっている医療人ですね。医療というのは、そういうものにすぐ手を染めやすい領域なんです。たとえばアンチエイジング医療が今すごく流行っているんですが、そもそもアンチエイジングをしていいのかと。そこから考える人はいませんよね。とにかくやるのはいいことだという前提からみんな始めるんです。それから美容。美容で顔をつくり変えるというのが、まぁダメとは言わないけど、そもそもそれをやっていいものなのか。それはいったい何を変えているのか、あまり考えないままにやっている。

佐藤　あるいは変えていいことといけないこととの限界ですね。

香山　そこを常に意識しないといけないと思います。とにかく患者さんのために使える技術を使うことは善なんだという、本当に無邪気な発想で思考を停止しています。

佐藤　同感です。

ＡＩという不条理

佐藤　先ほどちょっと話に出ましたが、ＡＩの話をもう少ししておきましょうか。
香山　ＡＩの不条理ですね。
佐藤　そう。ＡＩでとくに重要なのは「シンギュラリティ」[*96]です。シンギュラリティ後の世界をどのように今から想像するか。たぶん、その想像が外れるのは明白なのですが。
香山　その世界が読めない分だけ、不条理だということですか。
佐藤　ＡＩは、実際に携わっている人たちの「機械観」が旧来型なんです。道具主義的で、本当にド・ラ・メトリーの『人間機械論』[*97]の延長みたいな感じです。だから、ドライバー一本で複雑な建築をするみたいな、そんな感じがします。
香山　私もそんなふうに感じています。ＡＩが人間のあり方を本質的に変える、という発想は乏しいですよね。あくまで人間の拡張と捉えています。
佐藤　ＡＩの進歩の結果、どんな社会現象が出ているかの例を挙げましょう。車を運転していて、前の車が急ブレーキをかけたらどうするか。ぶつからないようにハンドルを切りますね。ところが、ＡＩは、事前にそれをプログラミングしていないと判断できないんです。そのとき、たとえば右に人が二人いて左が一人だったらどっちに行くか。右の二人はホームレス風で、左の一人はピシッと制服を着ている。あるいは、右の中学生は偏差値七〇の学校の制服を着ているが、左の中学生はふつうの公立校の制服だと。どちらにもハンドルを切らなければ自分が前の車にぶつかって死ぬ。これらを全部プログラミングしないといけないわけです。

だから、自動車のディーラーに行って車を買うときには、事故に遭遇しそうになったときにどの選択をするかを選ばないといけない。

これを保険会社に任せておくと、偏差値の低い子どもや年寄り、貧乏そうな人を轢《ひ》くというプログラミングになる。保険料からの判断だから当然そうなります。

あるいは、政治家はそういったことをしたらみっともない、政治家には自己犠牲の精神が必要だから前の車にぶつかって死ぬという選択のプログラムを入れろと。そうすると倫理性が高いということで「マル倫印」がその車につくとかね。ところが、やがてマル倫印を偽造する者が出てくる。実際に事故に遭ったらその車が横の人間をはねたとか、そんなことが起きてきます。

AIの世界で出てくるのは、そんな難しい倫理じゃない。すごくプリミティブな倫理がとりあえず出てくる。だから、AIをいじっている人たちの多くはすごく単純な道具主義で物事を判断している。これは、怖いことです。

ポストモダンの時代に倫理なんてしゃらくさいと言っていたことが裏目に出て、今度は復讐《ふくしゅう》が起きる。それも、われわれの自己選択になるわけです。

香山　私もAIにはうまくキャッチアップできないでいます。だけど、技術屋さんと話したら、

ＡＩを用いた機器やロボットの開発の途中で、これ以上踏み込むのは倫理的にいけないからと止めることはできないと、平気で言うんです。

佐藤　昔行われた、湯川秀樹と宇野弘蔵[*98]の間の原子力の研究に関する論争を思い起こさせますね。湯川秀樹は止めるべきだと言った。宇野弘蔵がそれを厳しく批判した。宇野弘蔵は湯川秀樹に対して、それはおごりだと。あなたが開発しなくてもほかの科学者が開発する。やるべきことは、あなたがつくる技術がどのぐらい危険かを具体的・実証的に明らかにすることだと。

香山　福島雅典さんという神戸医療産業都市推進機構の医療イノベーション推進センター長が、日本学術会議のシンポジウムで素晴らしいスピーチをしたことがあるんです。医療技術の進歩が進めば進むほど、そこに哲学がないと暴走してしまうと。実際今、ないんですよ、哲学や倫理が。

佐藤　付け加えると、実はポストモダン型の哲学者はほとんど役に立たないですね。使えるのは、旧来型の哲学。カントとかですね。

香山　そのとおりです。ナチスが「Ｔ４作戦[*99]」で優生思想のもと、障害者を虐殺したのはわずか八〇年前ですよ。でも今は、そんな古い話をしてどうするのとか言われて、全然取り合ってもらえない。

佐藤　優生思想はまた出てくる可能性が十分あります。

香山　すでに出てきているのではないでしょうか。

佐藤　確かにそうです。その問題で意外と重要なのは文学なんです。

香山　文科省は大学から文系学科を排除しようとしていますが、本当にそれこそが今、必要な学科です。

佐藤　結局今、読んでいないと恥ずかしいという古典は、ついに夏目漱石だけになってしまった。だから、どうしても漱石で議論せざるをえないんですね。現代作家だと、やっぱり村上春樹です。いろいろ批判があっても、村上春樹はあれだけの部数をとれて国際的に知られているから、彼のテキストに即した議論は一定程度できるわけです。

＊78　藻谷浩介（もたに　こうすけ）　エコノミスト（1964年～）。日本総合研究所調査部主席研究員。「里山資本主義」の造語者として知られる。主な著作に『ニッポンの地域力』『里山資本主義』（NHK広島取材班との共著）などがある。

＊79　萱野稔人（かやの　としひと）　哲学者・津田塾大学教授（1970年～）。主な著作に『カント「永遠平和のために」』『暴力と富と資本主義　なぜ国家はグローバル化が進んでも消滅しないのか』『哲学はなぜ役に立つのか？』『闘うための哲学書』などがある。

＊80　藤原帰一（ふじわら　きいち）　政治学者（1956年～）。東京大学大学院法学政治学研究科教授。映画通としても知られ、映画関連の著書も多数。主な著作に『デモクラシーの帝国――アメリカ・戦争・現代世界』『映画のなかのアメリカ』『戦争の条件』などがある。

＊81　朝日新聞の吉田証言　吉田清治（個人・文筆家）が朝日新聞紙上で証言した戦時の従軍慰安婦問題。2014年9月、朝日新聞はこの吉田証言が虚偽であったことを認め、記事の訂正と謝罪を行った。

＊82　**ロバート・ベラー**　アメリカの宗教社会学者（1927〜2013年）。ハーバード大学卒業。ハーバード大学教授やカリフォルニア大学バークレー校の社会学教授を歴任。主な著作に『心の習慣―アメリカ個人主義のゆくえ』などがある。

＊83　**『ルイ・ボナパルトのブリュメール十八日』**　「世界史上の有名人物は二度現れるとヘーゲルは書いた。だが、ヘーゲルは次の言葉を付け加えることを忘れていた。一度目は悲劇として、二度目は茶番劇として」の書き出しで知られるカール・マルクスの著書。

＊84　**在特会**　「在日特権を許さない市民の会」の略称。在日韓国・朝鮮人に対する入管特例法などを在日特権と定義し、その廃止を目的として設立された団体。「ヘイトスピーチ」のデモを行うことで知られる。

＊85　**エマニュエル・トッド**　フランスの歴史人口学者・人類学者（1951年〜）。フランス国立人口学研究所所属（2017年退職）。ソ連崩壊の予言や世界の家族制度の分析で知られる。主な著作に世界的なベストセラーとなった『帝国以後』、『新ヨーロッパ大全』などがある。

＊86　**『狂気の歴史』『監獄の誕生』**　「ミシェル・フーコー」の項を参照。

＊87　**接枝分裂病（潜在性分裂病）**　知的障害者が統合失調症をわずらった症状を指す言葉。定説がないために、現在ではあまり使われなくなっている。

＊88　**ジョレス・メドヴェージェフ**　ロシアの生物学者・歴史家（1925〜2018年）。双子の弟は歴史家のロイ・メドヴェージェフ。『ルイセンコ学説の興亡』の出版で精神病施設に予防拘禁された。代表作に弟ロイとの共著『告発する！狂人は誰か―癲狂院の内と外から』がある。

＊89　**勝間和代（かつま かずよ）**　経済評論家（1968年〜）。『無理なく続けられる年収10倍アップ勉強法』『お金は銀行に預けるな』『効率が10倍アップする新・知的生産術』の3作がそれぞれ10万部を突破する。

＊90　**綿矢りさ（わたや りさ）**　小説家（1984年〜）。2001年『インストール』で作家デビュー、同作品で第38回文藝賞受賞。2004年『蹴りたい背中』で第130回芥川賞を受賞。

＊91 **酒井順子（さかい じゅんこ）** エッセイスト（1966年〜）。2003年に発表したエッセイ『負け犬の遠吠え』で講談社エッセイ賞と婦人公論文芸賞を受賞。「負け犬」は流行語となった。

＊92 **小倉千加子（おぐら ちかこ）** 心理学者（1952年〜）。専攻は女性学・ジェンダー論。主な著作に『セックス神話解体新書』『結婚の条件』などがある。

＊93 **フェミニズム神学** 19世紀末のエリザベス・スタントンによる女性視点の神学批判を起点とする神学の潮流の一つ。キリスト教のそれまでの男性中心の社会のあり方に疑問を投げかけ、キリスト論や神学全般を問い直す。

＊94 **斎藤美奈子（さいとう みなこ）** 文芸評論家（1956年〜）。『妊娠小説』で文芸評論家としてデビュー。『文章読本さん江』で小林秀雄賞受賞。2008年〜2012年に朝日新聞の文芸時評を担当。主な著作に『趣味は読書。』『文庫解説ワンダーランド』などがある。

＊95 **西野カナ（にしの かな）** 歌手・作詞家（1989年〜）。ジャンルはJポップ・ポップ・R&B。NHKの紅白歌合戦にも出演。「あなたの好きなところ」で第58回日本レコード大賞受賞。

＊96 **シンギュラリティ** 人工知能「AI」が人間の能力を超えるポイント。そのポイントを超えた後は知能を持ったコンピュータが人間の代わりにテクノロジーを飛躍的に進化させる時代がくるとされる。

＊97 **『人間機械論』** 18世紀フランスの哲学者、ジュリアン・オフレ・ド・ラ・メトリーが1747年に著した著作。人間を機械に見立てる思想・哲学を展開している。サイバネティックスの創始者ノーバート・ウィーナーも『人間機械論』を書いている。

＊98 **宇野弘蔵（うの こうぞう）** マルクス経済学者（1897〜1977年）。日本のマルクス経済学者の中で最も影響力のある学者の一人で、その学派は「宇野学派」と呼ばれる。主な著作に『経済原論』『資本論入門』『恐慌論』など。

＊99 **T4作戦** ナチス・ドイツで優生思想に基づいて行われた精神障害者や遺伝病者などの安楽死政策。「T4」

は安楽死管理局の所在地、ベルリンの「ティーアガルテン通り４番地」の略称。15万人〜20万人以上が犠牲になったとされる。

第５章

カルト、
スピリチュアルを
めぐる不条理

新宗教とポストモダン

香山　「ポストモダンとカルト、スピリチュアル」について少し、お話ししませんか。両者は同時代的でとても関係が深いと思われますから。

佐藤　ポストモダンのころ、阿含宗《あごんしゅう》などの新宗教が、一部知識人に非常に関心を持たれて、彼らを惹《ひ》きつけるようになった。オウム真理教も、真ん中に近いほうにいたのではないか。もっとも私は、新宗教にはまったく興味を持たなかったし、関心もありませんでしたが。

香山　そうですね。オウムはサブカルチャー的でした。

佐藤　創価学会のように、政治にも乗り出して影響力を拡大していました。逆に立正佼成会の場合は神秘主義的な要素は外して学術化していった。そうすると、宗教的なエネルギーは小さくなってきます。たとえば世界救世教はバラバラになってしまった。けれど、そういう新宗教と明らかにちがう新宗教がポストモダンのころに生まれ伸びているんです。

香山　ポストモダンの少し前に、私はそれに全然コミットしなかったけれど、いわゆるヒッピー文化的な、意識変容を求める流れもありましたね。一九七九年のアメリカ映画『アルタード・ステーツ／未知への挑戦』ご覧になりましたか？　アメリカの脳科学者ジョン・C・リリー博士をモデルにした科学者が幻覚剤でトリップする様子をまじめに描いています。

佐藤　そうですね、ただ日本では、ヒッピー文化も底が浅かった。

香山　心理学では、アメリカ西海岸のパロアルト研究所。ここも、もちろん精神医学とか心理学とかちゃんと研究はしていたけれど、意識変容や催眠などを使ったりしていましたね。そこから出てきたいわゆるスピリチュアル的な心理療法とか、科学が変な形で結びついたフロート・タンク、タンクの中で胎児の記憶を取り戻すというものが話題になりました。武邑光裕《たけむらみつひろ》さんがやっていたシンクロエナジャイザーもありました。八幡書店という版元からそういうオカルト的な本がたくさん出版されていましたね。

武邑さんの人生もすごく不思議で、一時東大の助教授にまでなったんですね。その後は札幌市立大学の役職に就き、今はベルリンにいると言っていました。私も結構親しくしていたんですけど、朴訥《ぼくとつ》とした何の怪しさもなさそうに見える人でした。でも、オカルトや意識変容とかのスピリチュアル的なブームともちがうし、浅田彰的な西武文化的なものとは一線を画していました。

そことポストモダンとの橋渡しをしていたのが中沢新一さん。今みたいなちょっとドロドロしたものは排除していて、むしろ無神論でした。ただ、その流れも脈々とあって、何とか中沢さん的なものがそれを引き受けていました。

佐藤　カルトの関連で、これは誤解されているようなのでついでに言っておくと、トランプの支持基盤として注目されているクリスチャンシオニズムはカルトとは全然関係ありません。その歴史は三〇〇年ぐらいあって、もともとルター派から発生したものです。ただ、クリスチャンシオニズムの中には反ユダヤ主義的要素がある。「終わりの日」にはユダヤ教徒はキリスト教に改宗するということですから、ユダヤ教徒にそれは受け入れられない。そのことにクリスチャンシオニストは鈍感です。クリスチャンシオニズムには自分たちの救済という意味でイスラエルに対する過剰な思いがあって、アメリカでは根強い信奉者がいるわけです。

日本のクリスチャンシオニズムの理解者ということなら私もたぶんその一人だと思う。なぜなら私は、イスラエルの特別な位置を認めるからです。イスラエルの生存権を重視するキリスト教徒は、そこにイスラエルの歴史的な意味を認める。だから私は抵抗感なく雑誌の「みるとす」(イスラエル情報誌)にも書くわけです。いずれにせよ重要なことは、クリスチャンシオニズムはポストモダンな現象ではなく、モダンな現象だということです。

医の世界に入り込んだスピリチュアル

香山　スピリチュアルなものはいまだに大きな力があって、知人の精神科医と話したんですけど、USPT(Unification of Subconscious Personalities by Tapping Therapy「ユニフィケーション・オブ・サブコンシャス・パーソナリティーズ・バイ・タッピング・セラピー」)という研究会があって、それが最近、精神科医の中で勢力を増してきました。

片岡さん(仮名)という霊媒師がタッピングという方法で精神科の治療をする。タッピングは左膝と右膝、左肩と右肩を交差させ、ＥＭ・ＤＲというアイ・ムーブメントをやりながら患者にトラウマを語らせる。するとトラウマチックな体験の痛みが減少するらしく、これは経験的にエビデンスがあると言われているんです。

片岡さんは治療の中で多重人格の別人格を呼び出すのです。そして「コックリさん出てきてください」と呼びかけ、出てきた多重人格をねぎらう。「大変でしたね」とか「さぁ、子どもに戻りなさい」とか言って、人格を統合させる。それに感化された精神科医たちが、それを療法として確立させようとしてその研究会をやっているのですが、まあ、どう考えても怪しいらしいんです。胎内記憶とやらに戻るとか、生まれ直すとか。

佐藤　多重人格者というのは日本にどれぐらいいるんですか？

香山　私もほぼ三〇年精神科医をやってきましたが、数人は診ましたね。疫学的な調査では、人口の一〜二パーセントはいるともいわれています。九七パーセントくらいまで演技しているのかな、なんて私も思ったりしましたが、実際の症例に出会うまでは不思議な人間の一つのあり方なんだろうなとしか思えないんですね、今は。

佐藤　演技的パーソナリティー障害との境界線が難しいわけですね。

香山　難しい。私はすごく懐疑的に見ているから、「ちょっともうやめてくださいよ、もうわかりました」みたいなことを言いそうになるんですが。それでＵＳＰＴ研究会の人たちが、そのＵＳＰＴ効果を日本精神医学学会でどんどん発表しようとするらしくて、何か怪しい一派になってきた。また、そういう人によくありがちなんだけど、彼らはすごくいい人らしいのです。「これは患者さんのためにやっている」とか言うので、面と向かってケチをつけにくいと。だけど、話を聞けば聞くほど怪しくて。

佐藤　聞いている分にはおもしろいけれど。

香山　ホメオパシーとか、花の波動を水に転写するフラワーエッセンスとか、そういうことをやっている人の名前を聞いて驚愕《きょうがく》したんですけど、結構著名人がいる。確かに既存の精神療法とか薬物療法ではどうにもならないケースはあるんです。

佐藤　それはどれぐらいのビジネスになるのですか。保険診療は可能なんですか。

香山　一般の精神療法の枠なら保険診療でしょうけれど、自由診療で行うことも多いようです。

佐藤　毎年の医学部の入学定員から換算すると、一年におよそ九七〇〇人も医者の卵がいるんだから、その中で詐欺師になるのが五人や一〇人いても不思議ではない。

香山　臨床心理士で一時これにハマった人がいて、「本当はインチキだと思ってるけど、金になるからやってるの？」と聞いたら、「ちがう」と言う。それなら、まだいいのですが……。

佐藤　それは違法性認識を持たないだけの話で、詐欺ですよ。これはお金の集まるところ、東京、関西、名古屋ぐらいでしか成り立たない。それこそ新宗教ですね。

香山　そう思います。

佐藤　それと比較できるのは、マルチビジネスですね。

香山　まさにそうです。今学生ですごく問題になっているのは、投資FXの詐欺。バイナリーオプション、あれにハマる学生が結構いるんです。

佐藤　同志社大学の場合は警察の相談窓口には行かせません。どうしてかというと、本人が知らずに加害行為をやっている可能性がある。人を騙《だま》している可能性があるから。そうすると警察では被疑者として扱われる。

香山　加害というか、いったん入っちゃうと周りの人たちをとにかく連れて行くんです。

佐藤　大学は、消費者庁か弁護士事務所に連絡するようにしないといけない。そうじゃないと警察での取り調べになる。嘘をついたり、絶対に儲かるからと勧誘した場合、違法になりますから。

香山　バイナリーオプションは、短時間の投資というか賭け的なことをする方法なのですが、それがまた、学生の自己啓発セミナーと合体したかたちになっていて、これをやらないのは遅れているとあおられる。レバレッジできるから負け続けて、一〇〇万円くらいの結構な額の借金をつくる。

佐藤　消費者金融もくっついていますね。

香山　負けが重なると、「それはあなたの心が弱いから、賭け方が悪いから負ける」と、今度は精神論になっていく。それで「これは心も強くできる」とか言われる。バイナリーオプションは、最直近の通貨の上がり下がりを賭けるのですが、世界のビジネス、経済を知るためにもいいんだとか、ものすごくうまい、いろんな言葉が用意されている。自分がこれをやっているのはただの金儲けじゃなくて、とても新しいことで、これをやらない人は後れているみたいな感じ。もう完全にスイッチが入って、周りの人たちを巻き込んでいくんです。

佐藤　バイナリーオプションは、真っ昼間に街中で「丁半博打《ちょうはんばくち》」をする感じですね。博打というのは、最終的に全部丁半博打に行き着く。宝くじみたいに、これほど確率的にバカらしいことはないのだけれども、期待値としてきわめて低いということがわかって遊びで買っているんだったらまだいい。借金でやったらいけないのが博打の大原則。そういった博打の文化も知らない。

私が知っている学生でも自己啓発セミナーで三五万円も使い、その後いろんなかたちで一発逆転を狙って五〇〇～六〇〇万円の借金を抱えて、利子も払えないという人もいます。結局、退学しました。

香山　人間は、何かに自分のすべての意志とか判断を明け渡してしまいたくなるんでしょうか。

佐藤　そういう人たちのもう一つの特徴は、今の自分は仮の姿だという思いがある。だから大学をいくつも変わる。今の自分は仮の姿で、いつかそれを一発逆転するという発想。ホリエモン信仰なんかもそうですね。

香山　堀江さんは今度学校をつくったでしょう。どんな学校なのか、ちょっと心配です。

佐藤　古谷経衡[*100]さんの本を読むとわかりますが、ネトウヨや右翼は狙っているところが小さい。

香山　本当ですね。カルト宗教はオウムの悲惨な例もあり、そこまで若者がこぞって阿含宗とか他の宗教に行っていているわけがない。さっき言った精神科医の中にもそういったカルト的な人もいるけど、それはまだ善意からで、それでボロ儲けしようとしている人とはちがうかもしれない。
そういう意味ではJC（日本青年会議所）も相当おかしなことになっています。私は病院で、何人かJC会員の奥さんから相談を受けたことがあって、旦那がJCに入ったら、何かに取りつかれたようになってしまって「おれが日本を変えるんだ。今の日本はダメだ」とか言い出して、「優しい人だったのに、人が変わってしまった。どうしたらいいんでしょう」と。いや、それはちょっと、精神科ではどうにもできませんからと答えたんですけど。

佐藤　JCも以前は地元でビジネスをきちんとやっていて、社会的な貢献をしたいという人たちでした。決して右翼的ではなく、地域に根差したリーダーを任じていた人たちです。でも今は、本業よりも政治に関心を持つ人が増えているように思います。

香山　急に使命感みたいなものを持って、私が日本を変えるとか、これは日本のためにやってるんだとか。

佐藤　ナショナリズムには、そういった社会的な地位の向上をもたらす力がありますね。何しろ、愛国的な言葉を喚《わめ》けばいいんだから。

香山　それこそ、ネトウヨの書いたブログ「余命三年時事日記」にそそのかされて、弁護士の懲戒請求を出しちゃったような人たちも、自分が日本を変えるのに貢献しているという高揚感が得られたとか言っている。右派は、「あなたも日本を変えられる」とか、「あなたも日本を良くするのに役立っている」みたいなくすぐりをする。いわゆる「承認欲求」への餌《えさ》ですね。

佐藤　先ほど出た「何かに対して怒っている保守派」なんです。その怒っている対象が明確じゃないから、それを誰かが提示してくれるとワーッと飛びつく。その攻撃対象は、あるときは香山さんになるし、あるときはフジテレビになる。

香山　そうですね。それを佐藤さんのおっしゃっているような、もっと勉強させ、考えさせるという教育的なことだと、一瞬の、麻薬みたいな高揚感はなかなか与えられない。

オウム真理教死刑囚の大量処刑

香山　オウム真理教について、さらにふれたいんですが、オウム真理教の人たち、七人プラス六人の計一三人が二〇一八年夏、一挙に処刑されました。オウムが良いとか悪いとかは別として、これは怖い。しかも、今死刑の手続きに入りましたとかテレビ中継している。

佐藤　今は怖いとも思っていないんじゃないですか。最後の六人の死刑はそれほど注目されずに、まるで日常化している。

香山　そう。その感覚が怖いです。

佐藤　たぶんあれはナチスドイツ占領下のプラハの状態に似ています。

香山　今、執行手続きに入りましたとか言われると、えっ、これから処刑場に向かう人がいるんだ、みたいに想像してしまいます。いったい、どんな気持ちなんだろうと。そうすると、かわいそうとかじゃなくて、怖いという気持ちが起きるんじゃないかと。私の知り合いの女性の弁護士は吐いたと言っていましたし、生理的に恐怖感がすごくて、熱が出て寝込んでしまったという人もいます。でもメディアの対応を見ると、もう考えないようにしているというか、それは当たり前だみたいな。それは、人としての最後の砦《とりで》みたいなものを手放している気がしてなりません。

佐藤　でも、そこにはリアリズムが入っていないといけない。アンソニー・トゥー（杜祖健《とそけん》）が書いた『サリン事件死刑囚中川智正との対話』（ＫＡＤＯＫＡＷＡ）という本がありますが、これは非常にいい作品だと思います。本の最後に中川智正が七月二日、死刑執行の四日前に書いているメールが出てきます。

「六月二七日、私はイギリスのテレビ局の電話でインタビューを受けた。その中で聞かれたのは『中川死刑囚が英文で論文を出したのはそれでもって死刑を回避したいと思っているからか』という質問だった。私は中川氏に悪いことは言わない方が良いと思ったので、そういう事は別に中川氏は言っていなかったと答えた。そのことを後藤弁護士にメールで知らせ、おそらくそのメールを後藤先生が中川氏に知らせたのであろう。そのことについて中川氏から次ページのようなメールをもらった。」

このメールが非常におもしろいです。

「私が論文を書いたり、トゥ先生をはじめとした研究者に協力しているのは、死にたくないから、というのとは違います。

日本ではそういうことで死刑が止まる制度がありません。アメリカとは違い、日本で死刑囚に恩赦が適用される事はあり得ません。そもそも社会への貢献が考慮されるのであれば、裁判で検察側に全面的に協力した井上君、広瀬君、豊田君などは、林郁夫さんのように無期懲役になっていたと思います。それに、死にたくないというのであれば、もっと自分に有利なことを書きます。私は医者ですから、別に化学兵器や生物兵器について知らないといっても通ります。これらの知識を書くことは、罪の重さを考えると不利になります。遠藤さんのように何も話さないのが一番だろうと思います。

私が論文を書いたり研究者に協力しているのは、私がやったことを他の人にやって欲しくないからです。被害者を出したくないのもそうですが、加害者も出て欲しくないと思っています。裁判ではこのようなことを十分には話せませんでした。マレーシア事件を分析するには、医学知識はともかく、私の科学知識は不足していたので、ずいぶん勉強しました。死にたくないというのが理由ならばあんなに勉強はしません。」

香山　マレーシアの事件とは？

佐藤　金正男事件です。中川はこう書いています。「北朝鮮の政府内にはオウム真理教の起こした事件を研究していた部署があるそうです。VX塩酸基の事は教団のやったことを研究しないと思いつかないと思います。行きがかり上、どうしても書きたいと思いました。この件はトゥ先生に大変なご助力をいただいて感謝しております。」

私はこの本を材料にして学生たちと話してみたいと思っているんです。みんなそこで感じるところがあるはずだから。トゥー先生のまとめ方も上手です。「私は六年間にわたって、彼と文通や面会をしてきた。彼を死刑囚としてではなく一人間として付き合ってきた。彼の今までの犯罪を私は知っている。これらの罪は許されるものではない。しかし人間には誰にも明暗、または光と影がある。私は彼の『明』や『光』の片側だけと付き合っていたのかもしれない。彼の死刑執行という事実で中川という個体がこの世から消されてしまったことに対し、私は一抹の哀悼を感じる。」この本は書きすぎていないが故に、考えさせる材料としてはとてもいいのです。

香山　私も学生たちとオウムの死刑の話をしていますが、もっと手前で考えるのをやめる者もいます。たとえば、オウムで殺された被害者はもうこんなふうに発信できないと。なのに、加害者にこんなふうに発信をさせること自体が被害者を傷つける。加害者がこういうことを発信すべきじゃない、と言う人も一定数います。

佐藤　うちの学生（同志社大学神学部）の場合はそういう人はまずいない。どうしてか。それは、死者の名で語ることの危険性については皆で訓練をしているからです。死者の名で語る権利というのは生きている人間にはない。だから死者は人間に仮託して語ることはできない。靖国神社において、死者の名で語ることがいかに危険なことか。それはみんなが理解しています。だから、「死者はもう語ることができないというのはおかしい」という議論では、そういうあなたが死者に成り代わって語っているだろう、どこにその権利があるんだという議論になっているので、そういうことを言う学生はいない。
神学生でも、入ってきたときは別に神学なんかやりたくなくて、なんとなく来るわけです。その中で絞り込んでいって、講義の中できちんとした訓練をしていく。そうすれば、そういう稚拙《ちせつ》な議論は出てこない。

香山 なるほど。やはり「神」という、ある意味、究極にスピリチュアルな存在に行き着くためにも、まずはロジカルな此岸でのトレーニングが必要なのですね。

佐藤 『従軍慰安婦と靖国神社』（ＫＡＤＯＫＡＷＡ／角川マガジンズ）を書いた田中克彦氏はこの本で、なぜ日本人は避けて通れない二つの問題――「従軍慰安婦」と「靖国」の問題を検証しないのか。これは心の問題であると言っています。こういう本を読ませて学生に考えさせるのです。死者に仮託して語ることの危険性ですね。これは哲学者の高橋哲哉氏も別のかたちでやっていますが、そうした訓練をしておけば、そんな議論は出てこなくなる。もう少し存在論的なところで掘り下げて、その議論をこちらが一度引き受けて、もう一度その議論を学生とやるのです。

ケガレの思想と帝国の思想

佐藤 もう一つ、オウム信者の死刑について、私には気掛かりなことがあります。そこには「帝国の思想」と「ケガレの除去」があるのではないかということです。

今回のオウム死刑囚の一件でよくわかるのは、平成の問題は平成で処理するということなのですが、それに対してどうして何も言わないのか。おかしいでしょう。それは明らかに、ケガレの思想ですよね。御代《みよ》が新しくなるときにケガレを起こしたくないと。それから、その死体を海に捨てるとか、骨を渡さないとか言っていましたが、とくに海に捨てたがっていたのは、汚れたものを神の国の外へ出したいというケガレの思想です。そこへの批判が出てこない。

香山　そのことに言及することで、ケガレを畏《おそ》れていると気取られたくないのでは？

佐藤　創価学会は今回の死刑についてほとんど言及していません。今の状況下で「オウムは淫祠《いんし》邪教《じゃきょう》だ」みたいな話をしていないのは、非常に自己抑制された態度だと思います。それは、宗教人だから、宗教には「狂気」の要素があることを知っているからだと思います。キリスト教も同様です。カルトだというバッシングに対してあの人たちは皮膚感覚で嫌な思いをしているからです。日本基督教団も何も言わない。日本基督教団の沈黙、それは積極的な沈黙じゃなくて、変なものには触らない、そういう話ですけどね。

香山　日本基督教団の総会では何かの声明を採択しようとすると、いや教団の信者にはいろんな人がいますから、という話が出てくると聞いたことがあります。それで、声明じゃなく、祈りましょうと。議事録にも残さずにね。教団の総会はそんなふうにいろんな問題を処理している。沖縄の問題でも何か言うべきだとか、そういうことを言う人が必ずいるんだけれど、じゃあみんなでお祈りをしましょうとなるといいます。「祈り」だけでは解決できない現実もあります。

佐藤　話を戻すと、オウム処刑に透けて見える「帝国の思想」は、ケント・ギルバートが読者に受けているのとどこかで通底しているのではないか。ケント・ギルバート現象というのは、山本七平＝イザヤ・ベンダサン現象と同じです。外国人に何か言ってほしい。

香山　それはきっと白人の威を借りて言ってもらうみたいなことはあるかもしれませんが、たぶん右派に人気のある人たちは、みんなそうじゃありませんか。

佐藤　ヘンリー・ストークスもそうでしょう。

香山　そうですね。『大東亜戦争は日本が勝った』という本を書いたイギリス人ですね（笑）。彼らも過剰適応しないといけないですものね。まあ、それはわかります。

佐藤　ケント・ギルバートのようなアメリカ国籍の人間が、なぜ日本国憲法改正についてうんぬんするのか。それは国家の主権にかかわる事項じゃないですか。アメリカで、日本国籍の日本人がアメリカの憲法をどうしろこうしろと話しても、言説として受け入れられない。あなたにはそこへの入場券がありません、ということになる。

そこは帝国の思想なんですね。要するに天皇に忠誠を誓っていれば臣民なのです。そこではナショナルなものは関係ない。そこは「シチズン」じゃなくて「サブジェクト」なんです。

＊100　古谷経衡（ふるや　つねひら）　評論家、著述家（1982年〜）。日本ペンクラブ正会員。主な著書に『愛国商売』などがある。インターネットと保守、若者、サブカルチャーなどを論ずる。

第６章

言語と身体をめぐる不条理

身体と言語の乖離

香山　ポストモダンは身体と言語の乖離《かいり》という不条理を顕在化させているようにも思えます。この問題についても議論をしたいのですが。

佐藤　「身体と言語の乖離」でいうと、哲学者・千葉雅也氏の『勉強の哲学――来たるべきバカのために』（文藝春秋・二〇一七年）が参考になります。

　私の見るところ、彼の論拠の背景には、彼独自の「樹形図」があるような感じがする。こんな樹形図（次ページ）だと思います。

　まず、「総合知」がある。そしてそれは、「身体」と「言語」に分かれる。「身体」というのは、狭義の「体軀《たいく》」だけではなくて、たとえば英語を覚えるとかロシア語を覚えるとかいうことにも「身体」の要素がある。

香山　「ハビトゥス」みたいなことですね。フランスの社会学者のピエール・ブルデューが唱えました。人がある秩序の中で一定の時間を生きると、その秩序に適合するために知覚や行動を図式化して身体化する。だから、人が「習得」するものは「身体」のほうに入りますね。

佐藤　そして「言語」については、「論理」と「論理以外」のものに分けられる。「論理以外」の主たるものは「歴史」です。そもそも千葉氏の学問的な出自はフランス哲学（ドゥルーズ）です

樹形図

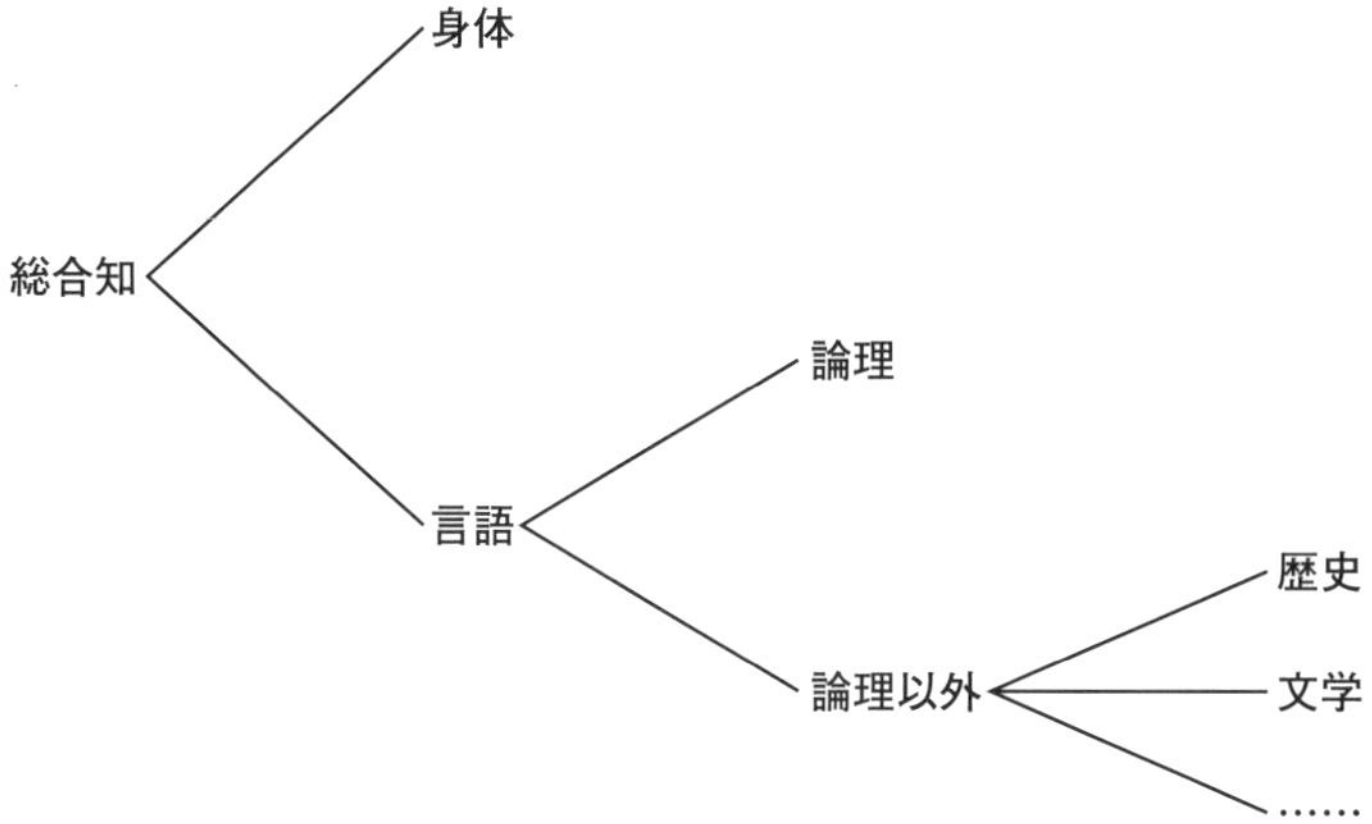

が、ドイツ由来の伝統も含まれている。ちなみにドイツで「歴史的」というと、「論理では説明できない」という文脈になる。したがって「歴史的出来事」とは、論理で説明できない、自然言語以外の事象をさすわけです。

これを踏まえてわれわれの「知の問題」は奈辺《なへん》にあるかというと、作家（正確を期すと「表現者」）たるもの、まず「論理的言語」が使えないといけない。日常的な会話においても、正確な日本語が使われ、思考が論理的でなければならない。極端に飛びはねてはいけない。すなわち数学的な思考をせよということです。

しかし、数学にできることは「論理」と「確率」と「統計」だけです。それ以外の人間の「共感」であるとか、「思い入れ」であるとか、「信頼」などは、数学的な言語からは演繹《えんえき》できない。だからＡＩによる「シンギュラリティ」なんて来るわけがないのですが。

先に、小林よしのりさんと三浦瑠麗さんについてふれましたが、この二人は身体と言語が分離していて、言語に関しても論理と論理以外（歴史）が分離している。そして、そのままでいいと思っている。

千葉氏はその言語と身体の分離に気づいたので、両者を総合しようと努力している。

香山 では、その「樹形図」でいうと、「イメージ」というのはどこに入るんですか。「言語」ですか？

佐藤 イメージは身体と言語を併せた総合知だと思う。だからテレビをうまく使う人や動画に出る人と、そうじゃない人における「イメージ」すなわち総合知というのはちがってくるのです。

トランプ大統領が「長老派」であることの意味

香山 そのゴロッとした生身の「身体」を持った「イメージ」で言うと、それがものすごい力を持っていることを示したのが、二〇一八年のトランプ大統領と金正恩の出会いではないかと思います。二人が、ネットのやり取りじゃなくて身体を持った人間として会いましょうとなり、実際に身体を運んで会ったわけだけど、金正恩自身が「世界の人が見たらSF映画のように思うでしょうね」と言ったと、一部で報道されましたが、まさにそんな感じがします。

もちろんその裏にはいろんな政治的思惑があったりするけれど、何か現実離れしたようなことが起きて、それはじゃあ、幻想かというとそうじゃなくて、確かな身体を持っている。でも、それは今までのような身体とはちがうし、とても論理的なものとも思えない。でも逆にそこが情に訴えたりして、それで逆に世界の物事が本当に大きく進んでしまうということが起きているわけですね。

佐藤　まさに私も同感です。今起きているのは「ヴィッセンシャフト」——中世的な「知の構造」の問題です。

たとえばコンピュータを使って数学的な知識は使えるんだけれども、そこから、いきなり論理以外の社会へ飛んで総合知にならない。だから「言っていること」と「やっていること」に乖離が生まれる。

香山　問題は、それをどう捉えるか。すごくネガティブに、それはいけないとか、それは前に戻さなきゃいけないと思うべきか、それとも「そういう時代なんだ」と肯定するのか。

佐藤　これはもはや戻せない。

香山　私もそう思います。それが何かうまく回って、南北朝鮮が融合したとか、本当に北朝鮮が核を廃棄する方向に向かったとか、その結果自体は悪いことではないかもしれない。どうしてそれが起きたかわからないけれども、とにかく、そういう結果だけから見るとそれは悪いことではない。今は残念ながら米朝も朝鮮半島の南北関係も停滞していますす。早く進みだしてほしい。

佐藤　プロセスが非民主的なんです。非民主的で自由ではない、しかし平和には近づいた、みたいな。

香山　そこをどう評価するか。朝日新聞などは、私はとてもびっくりしたのですが、あの米朝首脳会談にもすごく懐疑的な論調でした。

佐藤　また騙《だま》されるな、みたいに……。

香山　そうそう。米韓演習を安易に中止してよいのか、とか書いてある。諸手《もろて》を挙げて大歓迎とは決してならない。でも私は、そうじゃない見方もあるのではと思っています。私の知り合いに、ずっと長いこと北朝鮮との国交回復を願う「日朝国交正常化連絡会」をやっている、和田春樹さんがいます。数年前、その連絡会に出たのですが、今回こういうことが起きたので、「おめでとうございます」みたいなメールを送りました。「和田先生たちがやってきたことがやっと実を結んでこのようなことになってきて、これを評価するシンポジウムをやりませんか？」と言ったら、だいぶ腰が引けていて、「半島のことは半島の人たちに任せましょう」というご返事でした。

またある先生からは「今年は七コマも授業があり忙しくて……」とか言われてしまいました。ああ、喜んでないんだこの人たちは。どうしてそこに乗れないのか？　ちょっとびっくりしたのですが、彼らの論理ではたぶんうまく説明できないようなことが起きたわけですね。

佐藤　そうだと思います。説明不能なことが起きているというのは、原理的に言うと二通りの解釈があります。一つは情報がわれわれに不足していて、ありのままを理解できない。もう一つは、情報は十分あるんだけれど、切り口を間違えている。
香山　情報の問題なのでしょうか？
佐藤　切り口と思います。パラダイムが変わってきているんです。われわれは皆、「地動説」が正しいと思っている。だけど、見ている世界は「天動説」なのです。地動説の裏返しである「天動説」が生きている。
香山　トランプもその「天動説」を語る人なんじゃないかと思うんですが。
佐藤　トランプがどうしてあのような「天動説」を話すかといえば、簡単に説明できる。彼が長老派（カルヴァン派）だからです。彼は生まれる前から選ばれていた人で、だからあのように成功しているんだと。それと長老派にとっては、平和をつくり出すことの価値が何より重要なのです。
香山　私はこれまでずっと、トランプを否定的に捉えてきたのですが、最近は見方が変わって、評価はしていないけれども、やっていることはすごいと思う。
佐藤　私にはトランプのやることがよくわかります。前述したように、私も長老派なのでＯＳが一緒だからです。あの逆境での強さ、あれは長老派特有のものです。ちなみに二〇世紀以降のアメリカで長老派だった大統領は、国際連盟をつくったウッドロウ・ウィルソン、ノルマンディー上陸作戦をやったアイゼンハワー、レーガンは現役のときはちがったけれど、末期に長老派になった。そしてトランプです。ですから現役の大統領で長老派というのは、ウッドロウ・ウィルソンとアイゼンハワーとトランプの三人だけ。アメリカで、長老派が大統領になるのは異例なのです。

香山　なるほど。だけど、そんなご大層なものかなという気も少しあるのですが。

佐藤　いやいや、長老派であるということは、自分が選ばれ、救われていると確信していることです。さらにトランプの信仰はクリスチャンシオニズムと親和的です。キリストの再臨と「終わりの日」が来る前に「イスラエルの回復」があると信じている。

だからトランプは、エルサレムへの大使館の移転も実行するし、万一それで戦争になったときでも「絶対に自分たちが勝つ」と確信しているわけです。

金日成も長老派だった

佐藤　興味深いのは、北朝鮮の主体（チュチェ）思想を唱えた金日成自身も長老派だということです。彼が子ども時代に通った教会は長老派でした。これは金日成の『世紀とともに』という回想録の中に詳しく出ています。

香山　知りませんでした。教えてください。

佐藤　そこには、教会に行ってノートをもらったという話が書いてある。あのノートはお祈りを相当数覚えないともらえないんです。お祈りを一つ覚えて小さいカードを一枚もらう。一〇個覚えるとはがき大のカードをもらえて、それが一〇枚たまるとノートをくれる。改革派は教育がとても厳しい。ですから、金日成は長老派的な予定説が徹底的に叩き込まれている。金日成は回想録に「私は今になると、チュチェ思想とキリスト教の愛の思想は一緒だと思っている」と書いている。あれを読むと、彼の性格がよくわかる。それだから、晩年、ビリー・グラハムとか韓国の牧師とかを呼ぶようになるわけです。

　主体（チュチェ）思想には「愛の実践」とか「利他性の重視」という基本的な構造があります。素晴らしい人民を得て幸せだ、素晴らしい首領がいて幸福だ、と。これはまさに教会と信者の関係です。ですから、意外とトランプと金正恩のOSは近いのです。

香山　なるほど。ただ、そこまでキリスト教的なものに遡《さかのぼ》らずとも、もうちょっと表層的に考えると、トランプが去年の国連総会の演説で金正恩を「リトルロケットマン。彼は病んだ子犬（puppy）だ」と散々非難しました。あとでトランプは「あれは試したんだ。本当は言いたくなかった」と弁解したのですが、私は、すごくよくわかる。

　それは「リトルロケットマン」と言ったときに、即座に金正恩が、メディアを通してですが、「この老いぼれめ、早く去れ」と言い返しました。そのときトランプは「ああ、あいつはこういうプロレス的な言葉の応酬ができるやつなんだ」と思ったのではないでしょうか。

佐藤　だから、波長が合うと。

香山　そう。もしそのときに、金正恩から正式な抗議文とかがきたら「何だこいつ、話わかんねぇな」とトランプは思ったと思うんだけど、自分の短いフレーズに対して向こうも煽《あお》り文みたいなものを返してきた。それこそまさにプロレスで、たぶん同じ匂いを感じたんですね。

その後、一一月に入ってトランプは、「彼とはもしかしたらグッドフレンドになれるかもしれない、やってみよう」とツイートした。周りは「いったい何を言ってんの、この人」という雰囲気でしたが。

佐藤　それはOSが同じだからです。それでたぶんトランプも金正恩も、自国の利益のために、瞬間的に戦争を避けようと思ったんでしょう。お互いにそう思っていることが了解できたんです。

ところが多くの人が、そこを了解できていない。

トランプと金正恩は〝選ばれた人間〟？

香山　私もそう思います。だから、何か裏があるとか、思惑があるんだとか言われますが、私にそれはちょっとわからない。以前に佐藤さんから、まだトランプが大統領に就任する前にワシントン・ポストから出た『トランプ』（文藝春秋）という本を薦められて読んだし、その後の『炎と怒り』（早川書房）も読みました。

トランプは、まったく言語に与《くみ》してないというか、憲法とは何かも知らなくて、レクチャーする人が一条、二条までは言って聞かせたけど三条ぐらいになると「もう結構だ」と遮《さえぎ》られてしまった。周りはこんなバカを大統領にしちゃっていいのかという人たちばかりなんだけれども、逆に見ると、やっぱりある意味すごい人です。今回北朝鮮との会談の後の記者会見で、金正恩にアイパッドに入れた動画を渡したと明かして、記者会見でそれを流し、すぐホワイトハウスのフェイスブックに公開していましたが、ご覧になりましたか。

佐藤　その動画に関する報道は見ましたが、実物は見ていません。

香山　ディスティニー・ピクチャーズ・プレゼンツと始まる架空の映画の予告編、四分のトレーラーなんです。タイトルは「非核化後の北朝鮮」。登場人物は、トランプと金正恩。もうスターみたいにして出てくるわけです。北朝鮮が非核化を受け入れたら、こんな繁栄が待っているという映画。だから丸ごとフィクションです。

学生にこれを見せて、あなたが金正恩だったらこれをどう思うかと聞いたら、学生の反応はいつも三つぐらいに分かれます。三分の一は「バカにされている」と。「真面目な首脳会談なのに映画の予告編なんか渡されたら、これはなんだ。真面目に話せよと思う」と。

三分の一は現実派で、「いや、これはこれでいいけれども、何の裏付けもない、数字も出てこないし、こうなる保証もない。だからちょっと警戒します」。最後の三分の一は、「これはおもしろい。トランプはこの映画を一緒にやろうよ、これを現実化しようと呼びかけていると思う」という反応。

たぶんトランプは、金正恩は喜ぶんじゃないかと踏んだんでしょうね。実際に「彼は喜んだ」

とトランプが言っていて、だからアイパッドごと渡したと。

佐藤　金正恩はその前日にシンガポールでカジノに行っていますね。IR（統合型リゾート：Integrated Resort）の夜景を見て、トランプにいちばん大きいカジノを持ってきてくれと頼んだ。ウォンサン（元山）にカジノIRをつくれば、どうなるか。北朝鮮のGDPは茨城県の県民総生産ぐらいしかない。日本からの支援が入っても、それはハコモノとか技術支援になるから、北朝鮮の指導部はカネが抜きにくい。カジノだったら簡単に指導部にカネが渡せます。

かつてモスクワにはカジノが乱立していました。これは今だから話せるけれど、カジノをわれわれがどういうふうに使ったか。当時公務員の月の給与が五ドルぐらい。最低限一カ月五〇ドルぐらいの生活費がかかる。その差をどこかで埋めないといけない。事務所でカネを渡したら収賄になりますから、それはできない。レストランに行ってカネを渡そうとしても受け取らない。それでどうしたかというと、一緒にカジノに行く。そこで入場料分くらいのチップを買ってあげる。それで少し遊ばせる。それを使い切ったところで、「これだけじゃ遊べないよね」と、さらに一〇〇ドルぐらいチップを買ってあげる。それで、そのチップを換金させる。そうすると抵抗感なくカネを渡せるわけです。

ですから、役人に賄賂《わいろ》を流すのにカジノは最適なんです。高官に数千ドルの賄賂を流すこともできます。あるいは中堅の職員、テクニカルスタッフの秘書とかタイピストにカネを流すのもカジノのレストランです。ソ連崩壊の混乱期にカジノが乱立したのは、実は官僚に賄賂を渡すためだった。だから北朝鮮に大きいカジノIRができれば執行部が必要とする当座のカネがそこで入るわけです。

香山　私はそこまで読めませんでしたけど、もう少し単純に考えて、あのシンガポールの夜景を見て、金正恩が「シンガポールを学びたい」と。そのあと、シンガポールの外務大臣が自撮りをしていましたね。CNNの中継で見ました。

佐藤　あのホテルはそのあと、いつも満室らしい。

香山　あの二人が会談したホテルのランチは、この先一〇年間、「トランプと正恩が食べたメニュー」として人気になるでしょうね。最後はハーゲンダッツのアイスクリームが出てくる。その外務大臣が自分のツイッターにあげた写真には嬉《うれ》しそうな顔をした金正恩が写っていました。

佐藤　それはヴァーチャル・リアリティじゃない。

香山　ちがうと思います。

佐藤　カジノを一つつくれば、少なくとも金正恩の一族とその周辺のエリートたちには、アイパッドに入っている動画の世界は実現するわけです。それで完全な非核化ではないにしても、二～三年のうちに非核化の第一歩はできる。ちなみに、日本がIR法案の成立をこんなに急いだのは、たぶんトランプの要請でしょうね。

香山　金正恩はある種のヒロイズムというか、本当に自分の一族が繁栄したいという気持ちがあるかもしれない。

佐藤　それは、イコール国民なんです。天皇の終戦時のご聖断と一緒です。

香山　そう思います。そのショート・ムービーの始まりがすごいんです。世界には何十億の人がいると。しかしこの中で、本当の平和への決断をできる人間は、「a few」、わずかです。それがトランプと金正恩だと。「あなたは選ばれた人間で、あなたの決断が世界を変える」というのが何度も出てくる。あれを見せられたら、もう、「やったるか」みたいな気になるか、あるいは、「バカにすんな。あいつら、本気か」となるかだけど、それも何の裏付けもない。でもそれが今いちばん力を持っているんじゃないかなと。

佐藤　そうそう。そこのポイントが何かというと、人間の心理、目には見えないけれどもリアルである心理はある。ただ、それを見ぬく力がない。

香山　そうですよね。金正恩のその「目に見えない心理」の部分が、トランプが見せた動画でまさにイメージ化されたのだと思います。米朝関係は簡単に進展しなくても、私はあの動画が金正恩に与えた影響は大きいと思います。

佐藤　われわれ神学者は、日常的にそんなことばかり勉強しているわけです。

現代人は目に見えない事柄は存在しないと思っています。信頼とか希望といった目には見えないが確実に存在するリアルなものがあります。リアリズムを回復することが重要です。近代は基本的に、ノミナリズム（唯名論）ですからね。その限界を超えて見えないものを察知するリアリズムに目が行くかどうかで価値観が変わっていくわけです。

第 7 章

不条理の視点から
ポストモダンを検証する

不条理の淵源《えんげん》はポストモダン（八〇年代後半〜バブル崩壊）

佐藤　不条理の放置について、今一度、議論を深めましょう。それにはどうしても、われわれの青春時代の最後にやってきた「ポストモダン」に戻らないといけない。

香山　では、一足飛びにポストモダンがどうして失速してしまったのかを話してしまいます。小沢健二さんもそうですが、彼のように若くして天才と言われて、あるクオリティまで達すると、やっぱり次が出せなくなる。

浅田彰さんもそうですね。安易に人に期待するのはよくないんだけど、本当に世の中の何かをこれから変えてくれるんじゃないかとみんなが期待しちゃった。私なんかもその口。だけど、彼も賢いから、次に変なものは出せないと考えたんでしょうね。それで、彼は多方面に博識だから、世界の音楽や美術とかを日本に紹介するキュレーターみたいになった。変革の端緒を発信することをやめちゃいましたね。

バブルの狂態を見てるとバカバカしいというか、本当に愚かなことをやっているのが見えてきて、そこで自分が何か批判的なことを言うことにも退屈して、結局手を引いてしまう。そんな現象が、いろんなところで起きていた。

ですから、思想的には九〇年代初頭のバブル崩壊のときにはみんな沈黙して九五年くらいまで過ぎていく。そのうち阪神淡路大震災やオウムの地下鉄サリン事件が起きる。その間、ずっと小林よしのりさんだとか「新しい歴史教科書をつくる会」が準備をしていて、九八年に、小林さんの『戦争論』が出ると。

あのころの、自分も含めてですけど、八〇年代後半から九〇年代の半ばくらいまでの、何か異様な停滞というか、知の沈黙みたいなものが、日本にとってすごく後をひいているような気がします。

佐藤　私は、そのとき全然別の世界にいた。権力を実際に動かす官僚の世界にいて、今振り返れば、実によく仕事をしたと思います。ただ、財務省や経産省の官僚で、まれにビジネスのほうへ転身して巨万の富を手にした人もいる。あるいは、バブルの流れの中で、接待漬けになる官僚たちもいたけれど、それは侮蔑《ぶべつ》の対象でした。

香山　それは希望が持てる話です。

佐藤　別に給与が高いか安いかなんてどうでもいい。官僚の給料は決して安くないけど、みんな、自分たちが考える「国益の追求」に真面目に取り組んでいました。

私は九五年の三月に日本に帰国。教員の適性があると思われたらしくて、九六年の秋から二〇〇二年までは、東大の教養学部の専門課程で「ユーラシア地域変動論」を教えていました。

香山　それはまた、革新的なテーマですね。

佐藤　これは正式な文部教官の兼任発令で、外務省の職員で大学の専門科目を教えるのは私が第一号でした。

香山　教える相手は誰ですか？

佐藤　東大の三、四年生です。

香山　学科は政治学科なのですか？

佐藤　後期教養課程の教養学科。人気の学科で、内部進学点が非常に高い学生が集まってくる。私の講座のテーマはナショナリズムに関して最新の知見を学ぶことですが、教える側の私にとっては、彼らを教えながら、自分も知見を深めていかなければならない。相手は東大の学生だから、ゆるい講義をしたら受講生がすぐにいなくなりますから。

最初の一年目は、受講生が三人しかいなかった。そのうちの一人は外交官になって、一人は学者、もう一人は弁護士になった。私の講義は悪くないと思われたのか、翌年は十数人が受講してくれました。

そうなると、丁寧に一人一人の面倒を見られないので、ふるいにかけようと思って、二回目の講義のときに抜き打ち試験をやって、前回の講義で話した内容を復元させた。すると案の定、真面目に聞いていない学生がかなりいて、彼らには、八点とか一三点とか、低い点を付けてやった。そうしたら二度と聴講に来なくなるだろうと思ったら、とんでもない。次回からは、全員、われ先に最前列の席に来るんです。

それを、東大法学部出の私の部下に話したら笑われた。「佐藤さん、東大生の心理がわかってない。それまでそんな屈辱的な点を取らされたことがないから、そんな点を付けたやつは絶対に見返してやると、しがみついて離れない。それは逆効果だ」。確かにそうでした。だから十数人のまま、数年間教えました。

香山　学力エリートの意地を見せたわけですね。

佐藤　そうです。もう一つの私の目的は、「耳打ちする」ことでした。

香山　耳打ち？　学生にですか？　それは私もやったことがないですね。

佐藤　東大の後期教養課程の学生は、一年間くらい本気で勉強すれば外交官試験に受かる。しかし、成績だけいい学生に来られても困るんです。人事課から言われたこともあり、外交官の適性がありそうだと見込んだ学生に「外交官試験を受けてみないか」と耳打ちしていました。これはインテリジェンス機関の人の引っ張り方によく似ている。

香山　なるほど、佐藤さんにそう言われたら神の啓示だと思うでしょうね。

佐藤　そうでもないと思います。ただしその気になって外交官試験に合格した人もいます。そのころ北方領土交渉が水面下で深く進んでいて、やる仕事はほとんど諜報業務。日本には諜報機関がないから、ロシアの諜報機関のカウンターパートとのやりとりが私の仕事になった。

驚いたのは、三回に二回くらいは殺しの話なんです。「どこどこで何があるから、ぶっ殺しちまった」とか、「あれは、ぶっ殺しちまったほうがいいな」とか。ロシアの諜報文化は日本と全然ちがう。

それでも、私はとにかく北方領土さえ動かせばいいと、それしか考えないで、それなりに仕事も勉強も真面目にやっていたつもりです。

香山 それなのに誤解され、逮捕された。

佐藤 誤解される要素はありました。ひと言で言うと「やりすぎた」のです。そうこうしているうちに、小泉政権の田中眞紀子さんが外相として登場してきた。あのとき私は思った、本当のポストモダンが来たなと。

香山 やめてくださいよ（笑）。でもプレモダンじゃないんですか、田中角栄は。

佐藤 田中眞紀子さんはポストモダンです。ポストモダンは、論理整合性や実証性を一切無視する。

香山 そういう意味では、ポストモダンですか。

佐藤 そうです。何の究極的目標や目的論も持っていない。すごい人でした。

香山 ポストモダンと言えば聞こえはいいけど、要は支離滅裂ですね。

佐藤 それと同時に思ったのは、官僚たちがこの手の政治家にはいかに弱いかということです。

香山 外務省に乗り込んできたときですね？

佐藤 そうです。眞紀子さんが乗り込んできたときに、職員みんながフニャフニャになった。私はそれを目の当たりにして、何だ、外務官僚はこの程度のものかと。国家権力を持つ政治家の恣《し》意的《いてき》な発想がどれくらいの影響をもたらすのか、身をもって体験できた。そういう意味では非常に良かった。
　だから私は外務省の連中に言うんです。「私は、〝目には目を、歯には歯を〟の範囲でしかやらない。自分がやられた以上の報復はしないから、心配するな。君らの命を持っていこうとは思っていない」と。

香山　彼らはそれを脅しととったか、それとも安心したか。

佐藤　私はメディアバッシングを受けて三カ月間家に帰れなかった。私宛の郵便物が開封されるような状態になり、その後捕まって五一二日間牢に入れられた。私の房の両隣は死刑囚だった。その後七年間、裁判を抱えて、裁判費用に四五〇〇万円かかった。職を失い、その後四年間、執行猶予中で国外に出られなかった。その中でも彼らにはつねにこう言っていた。自分に科せられたその範囲でしか報復しないから心配しないでいいと。

香山　佐藤さんのことはずいぶんわかってきたつもりなのですが、失礼ながら、その体験とその時間については、本当の意味での理解や共感はできないと思います。想像を超えている。

佐藤　官僚はビビるわけだけど、世の中にはもっと怖いことがたくさんある。

香山　それ以上に怖いことがあるわけですか。私なら、それでも十分、怖がって、もう一生おびえながら暮らすと思います。そこで不条理に黙ることなく作家になった佐藤さんの不屈の源は何かを探るのが、この対談の私の真の目的でもあるのですが。

佐藤　国家権力は、何かをやろうという強力な意志がある場合はそれほど怖くない。国は強力な意志を持っている人とは意外と折り合いがつけられる。あるいはこっちが強力な意志を持っていると、意志と意志の間で均衡点が見つかったりする。互いの間に敬意が生じたりするんです。

香山　なるほど。こっちにも意志があるとあちら側の意志もある程度は見えるから、まだ同じ土俵で対話ができるということですね。それは何となくわかります。妄想を持った患者さんとの格闘の中でも、先ほど〝不眠〟などの共通のテーマを見つけて対話を試みると言いましたが、それに近いものかもしれません。

佐藤　怖いのは、官僚がルーティンワークとして仕事を始めたときです。このときの官僚はものすごく怖い。今、沖縄の辺野古《へのこ》でも東村高江《たかえ》でも怖いのは、判断する権限が与えられてない人間が、これだけやればいいとルーティンで動いているからです。そういうときの権力はどんどん暴力的な振る舞いにつながる。裁量権のある上司がいるところは、それほどめちゃくちゃにはならない。

ポストモダンの悪しき遺産、蓄積されない「知」

佐藤　AIのところでも議論した「哲学なき科学」をもう一度蒸し返すと、本来は技術論として、それこそ五〇年代から六〇年代で議論しつくしているはずなんだけれど、それがほとんど継承されていない。

香山　そうなんです。精神医学の学会でも、若い精神科医で、全然先行文献を読んでいない人がいて、言い古されたことをさも自分が発見したかのように突然発表する人がたまにいるんです。座長も困っちゃって、「それは昔、ヤスパースという人が妄想というものを分類して……」とか言うと、「そうですか、今度読んでみます」。この人どうして精神科の医者になれたの（笑）。まったく文献を読んでいない。そういう意味では、知が全然蓄積されていない感じはありますね。

佐藤　それはその通りだと思う。でも、知が蓄積しないというのは、われわれ神学者にすると、ある意味では懐かしい感じがするわけです。

香山　どうしてですか？

佐藤　神学というのは、だいたい論理整合性の高いほうが負ける。論理整合性の高いほうがだいたい異端になっている。必ず政治介入があって、論理的には崩れているほうが勝つ。

でも私は、これでバランスが取れていると思う。というのは、勝ったほうは後ろめたさがあるわけです。自分たちは理論的には整合度が低くて負けたと。

香山　複雑ですね。

佐藤　確かに複雑です。それに負けたほうも、政治的には負けたけれど、われわれは正しいという信念がある。神学はそういう性格の学問だから、議論が積み重ね方式にならない。それで、だいたい議論しているうちに政治介入があって終わるとか、あるいは議論が些末《さまつ》なところになって疲れてしまう。論戦のテーマが何だったかも互いに忘れて、罵《のの》り合いだけが続いて、それこそ一

○○年から二○○○年くらい経ってしまう。関係者がいなくなると、また同じ問題が同じように議論されるわけです。

香山　賽《さい》の河原のようですね。不毛です。

佐藤　それが神学者には不毛ではなく、おもしろく感じるのです。積み重ね方式ではなく、同じ問題が何度も繰り返すというのがわれわれの世界での常態なわけです。

香山　繰り返しながら、むしろ劣化するようなことも起こりうるんですか？

佐藤　基本的に、劣化とか進化とか、そういう発想がそもそも神学にはない。

香山　ニュートンの「巨人の肩の上に立つ矮人《わいじん》」の比喩《ひゆ》じゃないですけど、先人の積み重ねた発見の上に新しい発見を積み重ねる。ふつうの学問はそのようにしてどんどん枝葉を蓄積していくと誰しも思いますよね。

　だから、先行研究をちゃんと踏まえない学生は見ていて情けなく思うわけです。主に学術用途の「グーグル・スカラー」という検索サイトがありますが、それをちょろっと見てすべて済ましちゃう。それじゃあダメだと。そこだけ私、昔ながらの先生のようになるのですが、ちゃんと先行研究を調べなさいと。その意味でも、あのポストモダンって何だったんだろうと考えてしまう。こんなことを言うと、自分がやってきたことと、人に教えていることが全然ちがうと思うのですが（笑）。

「ちゃんと時系列順に並べて、自分が今やろうとしていることにはこれだけの歴史があるんだと理解する。その上で、あなたはこの上に一個だけ石を置くみたいなことをやるんですよ」。そう教えるんだけど、今の学生はできないですね。サクッとググって、それでおしまい。

　だから今の学生はすごくポストモダン的です。それを見ていると、ポストモダンはこんな恐ろしい、悪夢のようなものだったと、最近しみじみ思うんです。

佐藤　私もそう思います。妙に物わかりがいい。禅をやって悟りを開いたと言っているが、狐《きつね》がついただけなんじゃないのと。

香山　本当に取りつくしまがなくて、どうやって彼らに論理的に考える方法を教えればよいか、と途方に暮れることもあります。

佐藤　それはユングの世界です。魂のインフレーションですね。

香山　魂と魂がシンクロニシティを起こして共鳴し合う、というものですね。私、医大の下級生時代はユングに傾倒していたのですが、あまりにオカルト的なのでイヤ気がさして離れてしまったのです。でも学生などにはウケがいい。そこもまた論理的思考を放棄している感じでイヤなのですが。

佐藤　ユング心理学はプロテスタント神学とは親和的です。魂というものはインフレーションを起こしやすいんです。神学をやっている学生の中には、自分を本当に世紀の天才と思っているようなバカ者がたくさんいる。修士論文までは言葉の勢いで、いい加減なものだけど書ける。博士論文でもその種のものがある。

香山　そういうところでも、ポストモダンの何か変な影響を感じます。

佐藤　これで不条理に向き合わないポストモダンの本質が見えてきました。不条理なことがあっても、逃避する、他意をかわしていくというのが常態になっている。「おい兄ちゃん、ちょっと金貸してくれよ」とすごんできたワルがいたとしたら、正面から「お前、何おかしなこと言ってるんだ、警察に連れていくぞ」と言うよりも、なるべく関わり合いにならないようにする。

香山　その限界を見てしまったから、今私は、ヘイトデモなどを見かけたら直接、「やめろ」「帰れ」と言うようにしています。四の五の言わずに、ダメなものはダメなのだし。

佐藤　思想の世界でも同じようなことが言えます。小林よしのり氏は最近になっていろいろ叩かれるようになったけど、これは在特会の影響が大きい。在特会が彼をターゲットにして、まさに彼が今までとってきた手法、直接手を下さず、いろんなものを動員してやるまさにその手法で、小学館に乗り込んで小林氏を糾弾したわけです。そこから彼のメッキが剝《は》げてきた。だから、彼も今は必死です。誰も読まないような右翼の頭山満伝[*101]を懸命に書いて、伝統右翼や行動右翼を何とか自分の側に引き付けられないかと、ほとんど無意味な努力をしていると思う。

香山　元東大大学院の法学者・井上達夫氏や東浩紀《あずまひろき》氏と対談したり、リベラル側の人たちともいろいろ対談していますね。

佐藤　それと同時に、自分のコアのファンを失っている。だから、大変だと思う。その意味において、前ほどの力はなくなった。

いっぽうで、こうも言えるのではないでしょうか。小林よしのり氏から生まれたどれほどのものが、どのような形になっているか。その答えの一つが在特会だと。

香山　そうだと思います。でも彼も、小林チルドレンとか、よしりんチルドレンという言い方をすごく嫌がっていて、それはもう、ある意味自分とは関係ないと。読者のことは知ったこっちゃないってことはないけれど、それは自分のことを誤読したのであり、自分のことを彼らがどう展開したかは関係ないって感じかな。

佐藤　そこのところで、小林よしのり氏とポストモダニズムはつながると思う。もう一つ、つながるのは、西部邁氏[*102]に代表される一部のブントの陰謀主義です。西部氏は二人羽織のかたち、自分が表に出ないかたちで、小林よしのり氏を使ったのです。

香山　でも、陰謀論的な、歴史修正主義的な物語の再構築は、むしろポストモダンとちがうんじゃないですか？

佐藤　西部氏は、ポストモダンの流れに乗って出てきたのですが、根っこはやはりブント。ブントの陰謀家で、一種のエリート主義なんですよ。自分の看板では影響力が小さいから、小林よしのり氏を通してやればいいと。

でもこれは、保守評論家の屋山太郎氏や日本会議の田久保忠衛氏が、自分たちの言葉では大衆に響かないから櫻井よしこさんというフィルターを通すことで影響力を拡大させるという手法と同じです。

香山　それはまた、あえて反ジェンダー的な言葉を使うと、〝男らしくない〟というか……。狡《こう》猾《かつ》ですね。

佐藤　屋山太郎氏や田久保忠衛氏はいい。もともとそういう保守的な人たちですから。ところが、西部さんたちは、最初からその問題性はわかっているはずです。本来マルクス主義というのは世界観でしょう？　ところが彼らは世界観という受け止めじゃないんです。必要となったら次々と日本中の八百万《やおよろず》の神様を呼び出していけばいいと。

香山　ちょっと話が飛ぶのですが、佐々木俊尚《ささきとしなお》さんというジャーナリストがツイッターで突然、今の左翼は言葉が汚い、一〇年前とはまったくちがうというような発言をしました。

佐藤　一〇年前も汚かったです。佐々木さんが何歳か知らないけど、左翼がウジムシとかアオムシとか、ゴキブリとかアカダニとかののしりあっていたあのころの言葉の汚さを知らない人ですね。

香山　反ヘイト活動のリーダー的な存在である野間易通《のまやすみち》さんがよく「正義フォビア（恐怖症）」という言い方をするんだけれど、それは、いわゆるポストモダン系を批判するときに使う言葉で、それだけ冷笑主義とか価値相対主義が広まってしまったんですね。

たとえば「差別はいけないよ」と当たり前のことを言うのでも、「それもまぁ時代によりけりだけどさぁ」と「なんちゃって」をつけないと言えなくなったのは、リベラルの正義フォビアみたいなものがあったからだと。で、それを脱出しないと世の中はダメになるという話を彼はよくする。でも、それは「正義の暴走」だと批判されちゃう。だから、それくらい強い言葉でダメなものはダメと、やっぱり差別はいけないよと言わないと。

佐藤　大事なのは、そのときの依《よ》って立つ原理です。たとえば、沖縄の不条理に対して立ち向かう流れは二つあるわけです。野間さん、あるいは香山さんも、ざっくり言って、啓蒙の思想であり、人権思想なんです。それに対して私は、ナショナリズムです。

不条理にかかわるポストモダンの功罪

佐藤　どうやら、問題点がかなりはっきりしてきました。ポストモダンそれ自体の問題があるし、なおかつそれは普遍的な思想の問題でもあると。

そしてポストモダンと戦う啓蒙主義やナショナリズムが、かなり古い道具になっている。だから言って、「じゃあ私が突っ込みます、この特攻機に乗って」というナショナリズムにはならない。それは、ポストモダニズムを経ているよさなわけです。

それと逆に、人権は暴走するという意識を持つ人権論者が出てくるというのも、ポストモダニズムの影響を受けていないと出てこない現象です。

香山　でも、先ほどから何度も出ているニヒリストや冷笑系の勢いもあるので、「一〇〇パーセントの正義なんてないのに、自分たちの正義で気にくわない言論を弾圧しているだけだ」とハナで笑われてしまう。

佐藤　一〇〇パーセントの正義の味方というのはありえず、自分自身を含めて疑わないといけない。そこを気づかせてくれたことが、ポストモダニズムの非常に重要な遺産なのです。そこに気づけば、かつての新左翼も内ゲバを避けることはできたのではないか。

もう一つ非常に重要なのは、やはり暴力ですね。とくに権力と戦っているつもりの人たちの間で、ある時点から自分たち内部の争いになり、その路線の相違が最終的には殺し合いにまでになり、そして社会から遊離していく。それを権力によって組織の分断に利用されてしまう。その歴史がずっと繰り返されているわけです。

香山　ですから、とくに3・11後の市民運動はそうならないように、なるべく組織をつくらずに、〝クラウド化〟して行われる。それこそLINEグループしかなく、名簿も事務所もない。お互いもSNSのニックネームしか知りません。ある目的で集まって、互いにどこの誰かもわからず、行動が終わったらすぐLINEグループを解散するというやり方です。

佐藤　それも一見いいことのように見えるけれど、たとえばシールズの運動では、特定の何人かの固有名詞がシンボル化された。その一人が奥田愛基氏です。彼は今、一橋大学の大学院に行っていますが、シールズの運動がなかったら、はたして明治学院から一橋の大学院に行きたいという問題意識が育っていたかどうか。彼はアカデミズムで何をしたいのでしょうか。

香山　それは、わかりません。

佐藤　そこは突き放してみる必要もあると思う。もう一つ重要なのは、シールズの体験を経ることで新自由主義の思考法からいったん抜け出すのですが、その運動からもまた抜け出すというモデルだということです。

香山　でも彼らは、「未来のための公共」という新しいプラットフォームをまたつくった。その実態はよくわからないのですが。

佐藤　それから私が非常に危ういと思う点は、基本的に大人は子どもにおもねったらダメということです。

香山　そのときは、教えてサポートしているつもりでも、おもねってしまっていたんですね。

佐藤　大人が学生たちを政治的に応援することには常に難しい要素があります。私は政治に関与する学生に対して冷たいところがある。それは政治が怖いものだと思っているからです。

香山　今日、実はこれから沖縄に行くんです。明日、山城博治《やましろひろじ》（沖縄平和運動センター議長）さんの公判があって、傍聴記を書いてほしいという依頼があって。

佐藤　香山さんは立派です。当事者性がはっきりしている。なぜ香山さんがここまで関わっているかを、沖縄の人たちは口には出さないけど、みんなよくわかっている。簡単な話、心優しい人なんです。

香山　照れてしまいます。おっちょこちょいで、黙っていられないだけです。

佐藤　知識人は、「上から目線だ」という批判、これを恐れたらいけない。これは、権力を持っている者、知的な訓練を受けてない者が逃げるときによく使う言葉です。

そう言われたら、「上から目線とあなたが受け止めているんだったら、それで具体的、実証的に何が問題ですか」と、そこまで言葉を返してやらないといけない。

香山　何か、すっきりしました。

佐藤　じゃあ、「あなたは、下から目線ですね」と。

香山　下から目線ね（笑）。

話を戻しますが、ポストモダンというのは、別に敗北も勝利もなく逃げるとか、ドゥルーズの言う「脱領土化」みたいな形で生き延びられるんだとアナウンスしてきたわけです。すべてはそんなに意味がなくて、相対主義的にどっちも同じなんだという価値相対論。そうじゃないと言う人もいるかもしれませんが、日本においてはとくにそれをメッセージとして出してきたと私は思っています。

でも、多くの人はそんなポストモダンに共鳴して「そうだ。だから、別に権威も市民もない、上も下もない」みたいな感じで、面倒くさいことからは逃げていいと思ってきた。それが今になって、「こんなの不条理だ。おれたちは被害者で、どこかに抑圧者がいる」とか、あるいは「本当に意味のある勝利の死とは何か」みたいなことを言い出して、そのほうが説得力を持つようになった。私は、それ自体がポストモダンの敗北じゃないかと思います。

佐藤　ただし、その場合はこうも言えるかもしれない。ポストモダンが九割であっても、一割がそういった目的論的な方向に行けば、その人たちは行動する。その一割は強いんです。

香山　ポストモダンの九割はどうしているかというと、さっき言った無関心です。「プラスもあればマイナスもあるね」という高みの見物。「どっちもどっちだよね」とか、「あんなに必死になっている人たちもいるけど、それに関わる必要はないよね」と、すごい冷笑主義というか価値相対主義の人たちは動かない。だから、一割の人が行動を起こしたら、もうそれで決まっちゃう。

佐藤　そうですね。これは象徴的なことですが、二〇一五年に、クルツィオ・マラパルテ[*103]の『クーデターの技術』（中公選書）が刊行されました。戦前は改造社から出ていたのですが、今度のも一定数売れています。ということは、少数の人たちはそれを読んでいるわけです。

ですから、技術として考えるのだったら、ごく少数でも相当のことができるわけです。全体の一パーセントでも〇・一パーセントでも、とくにＡＩの技術が政治と結びつくと、すごく悪い意味でのエリート支配が起きる可能性があります。

香山　怖い社会です。

＊101　頭山満（とうやま　みつる）　明治から昭和初期、日中戦争時にかけて活躍したアジア主義者（１８５５〜１９４４年）。国家主義運動の草分け的存在である「玄洋社」の総帥。

＊102　**西部邁（にしべ　すすむ）**　60年安保闘争を主導したブントの指導者から保守派の理論家へ転じた評論家・元経済学者（1939～2018年）。元東京大学教養学部教授。『経済倫理学序説』で吉野作造賞、『生まじめな戯れ』でサントリー学芸賞を受賞。

＊103　**クルツィオ・マラパルテ**　イタリアの作家・ジャーナリスト（1898～1957年）。ファシズム左派の中心的理論家であったが、後に反ファシズムのレジスタンスに参加、自由イタリア軍の将校。小説『皮』『壊れたヨーロッパ』、評論『クーデターの技術』などの著作がある。

第８章

ナショナリズムか
啓蒙の思想か

人を動かすのはナショナリズムか啓蒙の思想

佐藤　今論じてきたような「虚偽思想」が、われわれが思う以上の権勢をふるう可能性を孕《はら》んでいるのは事実です。しかし私には、これはかつてのソ連で見たという既視感がある。やはり不条理に抵抗できるのは、現実においてはナショナリズムか啓蒙の思想のいずれかと思います。そのナショナリズムと啓蒙の思想が、沖縄では一つのキーワードで交わっている。それが「反差別」なのです。

香山　差別の意識がなくても、パワーや数の差があればそこに差別の構造が生じる。そこに気づかない人が多すぎます。

佐藤　それは啓蒙の側もそうだし、ナショナリズムの側も同じです。だから反差別という一点において、共通の戦いができるわけです。そこで障害となってくるのは日本共産党です。彼らは絶対に沖縄差別を認めない。

香山　そうですね。二〇一六年の差別解消法のときもそうでしたよね。部落問題はもう解決したと教えている共産党は、差別解消法は差別を「永久化」する法律だとして反対しました。

佐藤　そう。被差別部落問題においても共産党は差別を認めていない。そうなると、結局スターリン主義の問題に行きつきます。差別と戦えないマルクス主義とは何なんだという根源的な疑念です。

香山　それもありますが、今深刻なのはむしろ価値相対主義じゃないですか。あらゆるものは主観だからどれが正しいかは決められないと言っている人が、知らない間に権力寄りの話をしている。辺野古の山城博治さんが五カ月間も勾留された。何の背景も知らない人でも、これまでだったら、「え、何したの?」「鉄条網を少し切ったんだよね」「え?それで五カ月って、おかしい」と言いそうだったのが、今は「でも、何か国に楯《たて》ついちゃったんでしょう?」とか「危険なことをしたんでしょう?」などと言うようになっている。

ですから、自分は中立だとか、相対主義的だと言っている人が、実はすごく権力寄りのスタンスになっている。権力を否定しない相対主義。何か、不思議です。

佐藤　私の場合、鉄条網は切っていないけど、一年半以上勾留されました。

香山　それは佐藤さんにしかわからないすさまじい経験です。

佐藤　権力とはそういうものです。山城さんはがんを患っているから、それはもう殺すということです。

香山　まさに、そう。

佐藤　権力が狙っているのは、いかにして自分たちが直接違法行為に手を染めないで反体制の指導者を殺すか。権力は必要となったら人を殺しますから。

香山　去年までがんを患って、もう七〇歳近い人が靴下も履かせてもらえないで独房にいると聞いたら、何も知らない人も「それはかわいそう」と言うのがふつうなのに、今は言わないんです。

佐藤　日本の刑務所の待遇がふつうかどうかという基準ですが、アメリカの刑務所はあまりよくないですが、ヨーロッパスタンダードと比べたら、日本の刑務所はとんでもないところです。イランやエジプト、シリアあるいはロシア、ベラルーシのそれとあまり変わらない。待遇の程度で言えば、日本は多数派に入っているかもしれません。

香山　いや、だからといって、とても肯定はできません。

佐藤　日本では、いまだに起訴されると九九・四パーセントは有罪になる。これでも私が逮捕された二〇〇二年よりは〇・五パーセント低くなりました。当時の有罪率は九九・九パーセントでした。北朝鮮の裁判所の有罪率より高いかもしれません。

香山　カルロス・ゴーン氏が保釈中に日本を脱出して、そのあたりの日本の司法のひどさを全世界に公表しましたよね。

佐藤　北朝鮮の裁判所なら、首領様におすがりすれば、少しは刑を軽くしてもらえるかもしれない。恩赦もありそうだし、無罪判決もありそうです。

香山　日本では逮捕されただけで悪人と見られ続けるわけですからね。

佐藤　少なくとも、日本は旧ソ連や旧東ドイツよりも有罪率は高かった。

香山　またまた話が飛んでしまいました。ナショナリズムと啓蒙主義に戻りましょうか。

佐藤　先ほども言ったけれど、私のナショナリズムと香山さんの啓蒙主義はいわば「いい加減」

なんです。しかし、現実の政治を見たときに、人を動かすのはその二つもしくは宗教思想しかない。

あえて言えば、もう一つはテロリズムです。宗教、テロリズム、ナショナリズム、啓蒙思想の四つは人を動かすことができる。これが世界のリアリティです。

そこで重要なのは、啓蒙の思想は階級ということにきわめて無自覚で、ナショナリズムは排外的な要素を必ず含んでいるということです。これはしょうがない。付けるクスリがないのです。

そこでポストモダニズムが重要になってくるんです。ナショナリズムや啓蒙の思想、そして宗教も、それ以上に相対的ということがわかっていれば、それはポストモダンのほうに歩留まりがあるはずです。

相対主義という点でポストモダンの意義は非常に大きい。相対主義は寛容につながるからです。寛容は相対主義に立たないとできない。

香山　それで先ほど、内ゲバを防げるのはポストモダニズムだとおっしゃったわけですね。

佐藤　そうです。でもそれは、最終的には感化の力だと私は思っています。相対主義とニヒリズムに勝つためには、まさにキリストのアプローチが必要なのだと私は考えます。

香山　キリストの感化ですか。

佐藤　そうです。キリストは、「私の教団のメンバーになりなさい」と伝道したわけではない。当初キリストの周辺にいた者はみな逃げた。ところがキリストが十字架の上で死んで復活してからは、今まで振り向かなかった人もついてくるようになった。それは、決断を迫ったからじゃない。感化の力です。
　われわれが啓蒙主義的な人権で人々を説得できない、ナショナリズムでも説得できないのは、われわれの感化力、言い換えると人間的魅力が足りないからです。

香山　それは活字による感化じゃなく、人の魅力ですね？

佐藤　そうです。テキストを通じた感化もありますけれど、具体的な人間を通じたほうがずっと強いです。

依拠すべき「テキスト」は何か、が重要

香山　佐藤さんと話していて一貫して感じたのは、「直接的な出会い」の大切さです。でも、だからこそ、それが運悪く与えられなかった人の〝不条理〟にも思いをめぐらさずにはいられません。キリストの感化という話が出ましたので、仏教についても教えていただけますか。

佐藤　そうですね。念仏の信者は、「なむあみだぶつ」と唱えて阿弥陀仏《あみだぶつ》に帰依する。しかし阿弥陀仏はテキストではない。それに比して、法華経《ほけきょう》には別の特徴があります。法華経には「南無《なむ》妙法蓮華経《みょうほうれんげきょう》」という法華経のテキストがあって、それに帰依する。テキストに帰依するほうが強いと私は考えます。

香山　なるほど。そういう意味で、今帰依するに足るテキストは何ですか？

佐藤　それはやはり「世界宗教」です。仏教では法華経。仏教はいろいろ宗派がありますが、今言ったようにテキストで限定しているのは法華経だけです。それからイスラム教であり、キリスト教であるわけです。

逆に、マルクス主義が世界宗教になれなかったのは、テキストが多すぎたからです。ですから、経典（教典）は決定的に重要だと思います。

北朝鮮も遺訓政治をしているときは安定性があった。それは文字による政治だったからです。遺訓は文字になる。金日成著作選集は最初八巻で、次が四四巻、その次が一〇〇巻以上と増えていくのですが、それは官僚たちがねつ造したものです。しかしそれでも、テキストによる制約があった。それが今、金正恩になって遺訓政治を克服して、自分自身で「金日成・金正日主義」というイデオロギーをつくると政治の恣意性が高まって、本当に大変な状態になってしまった。

香山　そこで、日本はそれこそ不十分なのかもしれないけれど、憲法というのもテキストだったわけじゃないですか。

佐藤　憲法でもいいし、教育勅語でもいい。とにかくテキストに依拠する政治というのはすごく重要と思います。

香山　だけど、今の日本では、現行憲法に、もうその力がなくなりつつあるわけでしょう？

佐藤　極端なことを言えば、護憲派は憲法で、右翼は教育勅語でもいい。そのテキストに本気で依拠することができれば、ですが。

香山　確かに、今教育勅語を見直そうという動きが出てきています。憲法がどれぐらい実効性を伴っていたかわからないけれど、護符として通用していた時期があったわけじゃないですか。でも、それが今全然通用しなくなってきている。

佐藤　ただそれでも、憲法を改正しないといけないと言っている限りは、憲法原理主義は生きているわけです。

香山　そう言えますね。しかし、だとしたら、よけいに改正を止めたくなります。

佐藤　ナチスには憲法改正という発想がなかった。それと矛盾する命令や法律をつくっておけば、事実上のナチス憲法があることになるからワイマール憲法をいじらないでいいと。

柄谷行人氏の言うように、憲法は不磨《ふま》の大典だから変えられない。あの戦争のショックはそれぐらい大きいわけです。だから、左から憲法を変えようとしていた加藤典洋氏[*93]の（『テクストから遠く離れて』）は、構築主義[*105]なんです。

香山　そうか。私が気になっているのも、リベラルの側からの改憲論です。たとえばＰＫＯでの活動歴も長い伊勢崎賢治さんは、自衛隊は国際法上はまごうことなき戦力なのだから、九条二項をそっくり削除して、「日本は自衛権を国連憲章五一条に規定された、国際法上規定された国際的な個別的自衛権を行使する」と置き換えよ、と主張しています。

海外に駐留している自衛隊が何らかの衝突に巻き込まれた場合、現行憲法では戦争犯罪として軍事法廷では裁けない。伊勢崎氏は、「自らの『戦力』に責任を持つのが国家主権ですが、日本はそれを『自らへの呪い』だけで放棄している」と、この欺瞞《ぎまん》を非常に厳しく批判しています。井上達夫さんも同様に、自衛隊の存在という矛盾を見て見ぬふりをして「護憲」を主張する自称リベラル派を批判します。

しかしそれは確かに正論かもしれませんが、とくにこの第二次安倍政権下では正論での議論は通じなくなっている。だとしたら、「憲法＝無意識」を唱える柄谷憲法論のほうに時代の真実があるような気がします。

佐藤　私も柄谷さんの言っていることのほうが正しいと思う。ただ、「無意識の領域」とか「文化拘束性」というのは、理解しにくいです。

そもそも神道は、北畠親房《きたばたけちかふさ》が『神皇正統記』[*106]で言っているように、「言挙《ことあ》げ」をしない。つまり言語化しない。日本国家のあり方についても、『古事記』や『日本書紀』のようなテキストとするのはなじまない。では、祓《はらえ》や大祓《おおはらえ》でそれができるのかといったら、それも無理です。だから、手近なところで教育勅語ということになる。

香山　そうです。最近、アマゾンなどでも電子書籍の教育勅語が売れているようですよ。

佐藤　教育勅語を読んだ人は、それを批判する人でも、ほとんどいないでしょう。本来右翼的立場から国を立て直そうとするならば、出発点になるのは教育勅語ではなくて、「軍人勅諭」だと思います。軍人勅諭は、それを起草しているのが西周[*107]であるように、その知的なレベルもきわめて高い。でも、そういうことに右派はおそろしく無関心です。
繰り返しになりますが、あの森友学園問題の籠池さんの最大の問題は、教育勅語で教育することではなく、神道が宗教にあらずという神道観です。この神道観で教育をすれば、それは憲法にも教育基本法にも違反します。神道が宗教ではなく日本国民の慣習だということになったら、どんな宗教を信じている人間でも神社に行かないといけないし、伊勢神宮の神札をとらないといけなくなる。それが国民の慣習となるのです。
これは、戦後のすべての法体系に反するわけですが、そこがなぜかイシューにならない。それは、天皇の生前退位のときに共和制の議論が出てこないのと根は一緒です。万邦無比の我が国体はちゃんと成立しているわけです。

香山　国体は安泰だと。大切なのは、私たちが本当に依拠すべきテキストは何か、ですね。

ヤマトの人がわからない沖縄ナショナリズム

香山　その国体をめぐる議論でいうと、沖縄について逆のプロパガンダ、つまり沖縄には反リベラルの我那覇真子さんのような人も出てきたことを私は憂えているのですが。

佐藤　ところが、沖縄人は、彼女たちに対しても、基本的には、自分たちの内側の人間と思っている。彼女は早稲田大学を出ていますが、名護から早稲田大学へ行くというのは大変なことなんです。たまたま右派で、政治色の強い特殊な宗教を信じている。沖縄人はそういう認識だから、彼女に対しても温かい。沖縄人が嫌いなのは、ヤマト出身で彼女たちを擁護する類《たぐ》いの「植民者」なんです。彼女は若い。まだ、変われる。変わるチャンスを潰《つぶ》したらいけないというのが沖縄人の本音だと思います。

香山　そういう不条理をめぐる摑みどころのない雰囲気と、ファシズムとの関係はどうなんでしょうか。つながりますか？

佐藤　つながらないと思います。今言った文脈での同朋《どうほう》意識はファシズムの動員とつながらない。もっとも原理的には政治学者の片山杜秀《かたやまもりひで》氏が言っているように、日本は天皇がいるからファシズムにはならない。しかし、沖縄は天皇神話を共有していないのでファシズムになるかもしれない。連帯意識の動員が可能になっているというのは、ファシズムの土壌になるかもしれません。

いっぽうで、確実に沖縄の中にはアイデンティティーの確立をあきらめてしまう傾向が一部にある。

香山　それは沖縄に限らず、日本の地方は、とくにマイノリティをめぐっては、どこでも同じなのではないですか。前にも述べましたが、私は北海道出身なのでアイヌの問題にもちょっと関わっています。アイヌの民族としての誇りを取り戻そうとする動きもある一方で、「アイヌはいない。日本人だ」とアイヌの中で和人に過剰同化しようとする人の声がやたら大きくなっています。それに対してアイヌの側からむしろ同情というか憐憫《れんびん》の声が出て、糾弾の動きにはなかなかならない。「自分たちもたいへんだから、あの人もいろいろたいへんなんだろう」という一種のあきらめにも近い感情かもしれません。

佐藤　今一度我那覇真子さんを例にとると、沖縄人が「何をやっているんだ、あいつは」と言うのに沖縄人は抵抗感を持たない。だけど、ヤマトの人間がそれを言った場合には、それに対する沖縄の反応は一義的ではない。

香山　なるほど。そこは、私のような本土の人間にはわかりかねることです。

佐藤　あれは日本の右派勢力が彼女を使って、翁長雄志知事（当時）と対抗させるかたちにしたわけです。沖縄人に沖縄人を対抗させる。これはヤマトの連中がいつもやってきたことで、彼女に対しても「かわいそうに、二〇いくつでこんなことに巻き込まれて」と沖縄人は見ている。だから、彼女を追い込むのではなく、戻ってくるんだったらいつでも戻ってくればという感じなのです。

ところが、逆に、竹中明洋氏の『沖縄を売った男』に対しては怒っている。仲井眞弘多《なかいまひろかず》元知事の擁護をしている本ですが、仲井眞氏に対する同情が沖縄から内発的に出てくるんだったらいい。しかし、仲井眞氏を理解するようなそぶりをしているけど、政治的に利用しているにすぎない。沖縄人はこういうことをものすごく嫌がる。その辺の機微が、わかるかどうかなんです。

香山　外部の人間がどれくらい立ち入るか、あるいは語るか。これは難しい問題です。私は北海道出身で女性、というのがやや辺縁的ですが、日本人だし大学に職も得ているという意味ではマジョリティです。そういう意味では安易に「寄り添う」とか「あなたの気持ちになって語ります」などとはとても言えない。でも、差別には外部のマジョリティとして怒りを感じるし、マジョリティ側の問題として捉えなければ、とも思います。

佐藤　香山さんは沖縄人に好かれています。あえて言うと、沖縄に徹底的に「趣味」として関与している。「趣味」ということがはっきりしている、だから逆に信用するわけです。それが、沖縄のためにやっているとか、沖縄を自分自身の問題として捉えてやっているという人は信用しない。沖縄にあるナショナリズムの感覚がわかるかどうかが大切なんです。

以前、京都精華大学の白井聡さんや龍谷大学の松島泰勝さん、鳩山由紀夫さんたちとシンポジウムをしたことがあったのですが、沖縄をめぐる議論では白井さんが、沖縄人の感覚からすると、いちばん浮いていた。しかし本人は自分が浮いていることに気づかない。

沖縄問題は日本人一人一人の問題と白井さんは言った。沖縄で起きた女性の殺人は程度の差の問題で、日本においても同じことが起きると。そこで、私がこう反論した。

「あなたの言っていることはちがう。程度の差じゃない。本質的な差がある。比率の差じゃない」と。たとえば、赤坂にニュー山王ホテルがある。あそこにいる元米海兵隊の軍属が夜の八時に日本人の女性を暴行して殺し、トランクに詰めて明治公園に捨てて立ち去った。それが二カ月たって白骨で見つかった。犯人は事件の十日後にアメリカに逃げて日本にもういない。

こんなことになったら、日本政府と外務省は総力を挙げてアメリカに抗議します。「ふざけるな」

と、心の底から怒る。私は外務省にいたからそれがわかる。

しかし、同じ事件が沖縄で起きると、沖縄だからといい加減にスルーされてしまう。それは白井さんの言う連続性じゃないし、程度の問題でもない。明らかに質がちがう問題です。その質のちがいがあるから、日本の陸地面積の〇・六パーセントしかない沖縄に今でも七〇パーセントの基地を押し付けられているわけで、それがわからなければ、沖縄人が最も問題としているのが差別であることが見えなくなってしまう。

沖縄がかわいそうなんて言う日本人は要らないんです。そういう人が増えてもしようがない。なぜならそれは、沖縄人にとって侮辱的だからです。

香山　やや話題がずれますが、最近、児童養護施設などで育つ、つまり「社会的養護」を必要とする子どものケアの領域でも同じことが言われています。彼らへの社会からのアプローチの第一歩は、やはり同情や憐憫であり、「かわいそうだから恵んであげる」といったいわゆる〝上から目線〟のサポートでした。それでもないよりはいいと思うし、それさえできない人も多いのが事実です。
でも、イギリスでは今、それでは彼らの実りある人生には結びつかないということで、社会的養護のゴールは「ライフチャンスを広げる」になっています。つまり自分でやりたいことや進みたい道を選び取ることができるように、必要な情報を与えたり経済的サポートをしたりする。あくまで決めるのは当事者自身ということです。でも、サポートする側もそれに気づくのは難しいし、とくに日本では遅れているといわれます。

佐藤　それがリベラル派の実態で、そうすることで沖縄の味方だと勘ちがいしている。

前述のシンポジウムで鳩山さんは、「もう私は言葉がない。私自身、この流れをつくって本当に申しわけなく思っています」と言ったのですが、私はそんな言葉はまったく評価しない。現役のときにやってくれという話です。私は彼が現役首相のときに、複数の政治家を通じて伝わるように言った。これは、外務官僚が後ろでアメリカの力を使ってやっているんだから、政治家が基地移転問題を動かすと言えばできるんだと。だけど、そのときは聞いてくれなかった。それじゃダメなんです。政治とはそういうものです。

不条理と闘う女たち

香山　沖縄と不条理の話を別の角度から続けます。社会学者で琉球大学教育学部の教授・上間陽子さんの『裸足で逃げる』という本は読まれましたか？

一〇代で出産した若いシングルマザーの調査研究をしながら、「強姦救援センター・沖縄REICO」にも関与して、抱え込みすぎるぐらいにそうした女性たちに関わっている方です。

佐藤　実態としては「参与観察[*108]」的な関わり方ですね。

香山　そうです。参与観察なんですが、彼女たちにインタビューしたものを全部見せて修正してもらい、もちろん承認をもらった上で、『裸足で逃げる』という本にしたんです。すごい本です。一言で言えば、貧困の連鎖と暴力の連鎖の話です。彼女たちは一〇代、全員子どもがいるシングルマザーです。それは結婚と呼んでいいのかどうかもわからない凄絶《せいぜつ》さです。今の時代、大卒の子などはいきおい非婚になる可能性が高いんだけど、彼女たちは一〇代でそんな「結婚」を余儀なくされた。

佐藤　私が大学の講義で強調していることは、結婚する自由はあるけど、シングルである自由、あるいは子どもをつくらない自由というのもあると。そこは権利的に同格ですということを強調しています。

香山　そう。そのリプロダクティブライツ[*109]と言われる権利はすごく大事と思いますが、少子化の今、なかなか言いづらいことです。

佐藤　ディートリヒ・ボンヘッファーは、ナチスへの抵抗運動で処刑されたルター派の神学者ですが、彼が倫理の話の中で「高価な恵み」と「安価な恵み」ということを言っている。今みんなが求めているのは、その「安価な恵み」なのです。

香山　「安価な恵み」。先ほど私がふれた「かわいそうだから恵んであげる」の精神もそれかもしれません。

佐藤　たとえば三〇歳、遅くとも三五歳までに何としてでも結婚する。それこそ、前に「東京タラレバ娘」で述べた「人間で生きていて死んでない」という相手でもいいから結婚する。とにかくライフサイクルのロールモデルに沿って、何歳で子どもを産み、予定通り二人の子どもがいる。そんな安定した生活、これこそ「安価な恵み」です。

香山　佐藤さんとの共著も出された北原みのり[*110]さんが、「上間陽子さんは、難民高校生みたいな女の子たちを助けている仁藤夢乃[*111]さんと似ているね」と。仁藤さんは、夜の街を歩いている中学生がいると、「行くとこあるの？」と声をかけ、家出だったら自分の家に連れて帰ったりする人です。

上間さんもそうで、それこそ虐待されレイプされて、〝裸足で逃げ〟てきた子たちを「強姦救援センター」へ連れ帰ったりしている。今の沖縄にはそういう人たちも出てきています。そういう人は昔からいたとは思うけど、今もいるわけです。

でもそれは、本当に大変なことなので、個人に負わせるのではなく、何か仕組みにできないかと動いた時代もあったんですね。だけど結局、上間さんや仁藤さん、それから伊藤和子[*112]さんという弁護士さんたちが個人で頑張っていらっしゃるわけです。伊藤さんは「AV強要」などの問題を手掛けている人ですが、この人たちは本当にすごいと思う。何人かいるんです、そういうすごい人たちが。

残念ながら、みんな女性なんですね。おせっかいで、もう見るにみかねて「私のところへ来なさい、私[*113]が何とかしてやる」と。でもそれだと、一対一でしかできないからすごく効率が悪い。それこそPDCAサイクルのようなかたちで、誰でもできるような仕組みをつくろうとしたんですけれど、やはり無理みたいな感じですね。

佐藤　長期間は無理、続かないんです。

香山　伊藤和子さんや仁藤夢乃さん、上間陽子さんが年を取るとか、なんらかの理由でやめたらどうなるのかというと、その運動はなくなってしまう。誰もやる人がいないんです。本当にそこにいるべくして生まれたような突出した能力のある個人が現れたときしか、それはできない。

佐藤　ある意味、物事はそういう要素がありますから、そういった個人をみんなが守り立てていくしかないんです。

香山　そう。私も最近すごくそう思っていて。私も一時はかかわろうかと……。

佐藤　そこで重要なのはお金です。

香山　そう、それがないと続かない。それこそ一〇年ぐらい前に、私も、そういう仕組みをつくりたいと考えたりもしましたが、それはきっと無理なんだろうと最近は思っていて、まさに佐藤さんが今言ったように、そういう人がいたときにその人を支える、ファンドをつくってお金を出すとかしていくしかないなと。

佐藤　いったん組織化すると当初から必ず疎外が起きます。それは人間の組織だからしようがない。だから、逆にふにゃふにゃしているように見えるけど、病院とか大学とか教会とか制度化されたものはそう簡単には壊れない。

香山　その人がやっていることを偉いなあと思いながらも、見て見ぬふりするみたいなことがすごく多いし、その人たちを叩こうとする人もいるわけです。仁藤夢乃さんは、女性ということもあって、それこそ興味本位の対象になったりして、大変な攻撃を受けている。それに関心がないなら黙ってくれていたらまだいいんだけど。

そういった傑出した人がたまに出てくるわけですね。今だと東京新聞の望月衣塑子《もちづきいそこ》記者。菅官房長官の記者会見で厳しい質問を連発して一躍時の人になりましたけど、彼女は前から武器輸出問題などで孤軍奮闘、頑張っている人なのです。

佐藤　もともと検察担当記者ですね。

香山　そうです。恐れを知らない女。高校のはるか後輩ということで親しくしています。個人的にはチャーミングな女性なんだけど、何か鉄砲玉みたいなところがあり、損得を考えずに何でも一生懸命に取り組む。でも、そういう人が出てくると、みんなが一斉に群がって、過去のことやらプライベートまでネットで暴き立てて、何というのか、むしり取られる感じで、格好の餌食《えじき》にされているんです。だから、そういう傑出した人をどうやって守っていくかですね。

佐藤　それは、ケース・バイ・ケースになります。

香山　やはりそれしかないですか。個別的なことになり、制度としては難しいでしょうか。

佐藤　人類学者の長谷川眞理子[*114]さんによると、人という動物を見た場合、一生の間で人格的なコミュニケーションを持てる人の数は大体一五〇人ぐらい。その一五〇人も、生涯を通してで、一度に一五〇人ではない。だからバックグラウンドも知っていて、一緒にご飯も食べて、それで考えもわかるという人は、生涯でせいぜい一五〇人ぐらいで、それを超えるのは相当難しい。だから、私たちはそういうものだと思って行動しないといけない。

小池百合子はポストモダン？

佐藤 その上で、不条理の克服という場合、やはり、国家権力の怖さをよく知っておく必要があります。

前にも言いましたが、この乾いた国家官僚システムとどう付き合うかというのは、すごく難しいし、官僚システムの持つ文化拘束性の強さを破るのは至難の業です。

小池百合子さんは『失敗の本質』[*115]を座右の書にして読んでいるそうだけど、彼女の『失敗の本質』の読み方と私の読み方はたぶんちがうと思う。たとえば第二次大戦時のガダルカナル戦、どうしてあんな無意味な戦力の逐次投入を決めたのか。それは、逐次投入をすることと撤退をすることとを天秤《てんびん》にかけると、撤退するほうが圧倒的にコストがかかる。だから、逐次投入という選択になってしまった。でもそれはあくまで短期的な計算で、長期的なビジョンを持って撤退するときは撤退するという組織的決断をしないといけない。

要するに「戦力の逐次投入」は日本組織の文化なのです。それは、陸軍でも、企業でも、都庁でも、変わらない文化です。豊洲市場の問題でも逐次投入を続け、それが臨界点に達したところで移転するのか、あるいはこのまま強行するのかを決めればいいと。

組織の文化拘束性がしっかりある中で、それに抗っても無理という発想が、小池さんの中に強烈なかたちである。それが彼女の強さだと思う。でもそこからは何も変わらない。それは常に一人で戦ってきた人間にはありがちで、防衛省の中で守屋武昌元次官らとやりあった経験もあるから、組織の持っている文化拘束性に対しては、そこに巻かれるしかないという発想です。ですから、彼女が強力なイニシアチブを発揮して何かをすることはないと思う。でも、それが周囲には見えていない。

その意味では小池さんはポストモダン的なのです。

香山　長期的ビジョンがないことを「ポストモダン」と言われると、何か複雑な気持ちですけど。

佐藤　目的論がない。

香山　とはいえ、本当にポストモダン的なら、自己組織化されていて、それぞれの動きは逐次投入でも、はっと気がついてみると、「なるほど、これを目指していたのか」という構造物ができ上がっている……なんてことはないですか、やっぱり。

佐藤　周りは、それが目的論的な政治で、改革的な政治だと勘ちがいしている。

香山　そこには幾分、彼女がどこか自立的で自己組織化された「オートポイエーシス」（自己生産）のような仕組みに見えるんじゃないかな。「やっぱり実はやりたいことがあったのだ」と常に期待させるような何か。「そうか、この日のためにカイロ大学に行っていたのか」とか「なるほど都知事を目指したのは、こういうことがやりたかったからか」と。それでもつい人が深読みして希望的に期待してしまう何かが。

佐藤　小池さんを見ていると、もしかしたらトランプも同じなのかもしれないと思います。実は二人とも、目的論はないのかもしれない。

香山　トランプには完全にないと思う。でも、橋下徹さんにもないじゃないですか、そういう意味では。それぞれの個別のラウンドで、試合に勝っていけばよい、という感じ。

佐藤　そうなると、そういった人たちの力と力の相互作用で何が起きるかが問題になる。

香山　何がゴールなんですか。やっぱりゲームという感じなのかな。ちがうかな？

佐藤　ゲームの局面、局面では、そこで勝つことが重要だと思います。

香山　でも、そういうとき、それこそ何かよりどころを、たとえば聖書に書いてあることとか、今の日本だったら教育勅語みたいなことになっているけれど、そういうものを求めるのかなあ……。

佐藤　そこでも、テキストは重要かもしれない。

香山　ツイッターは一四〇字ですが、もう少し長めのテキストには一応の流れや起承転結がありますからね。でもそれさえ読まれなくなってきている。インスタグラムのような一枚の写真のほうがインパクトを持ちつつあります。もうこの先はツイッターさえ長すぎてしまい、人は絵文字や記号で会話するんじゃないかと……これじゃ古代に帰るようですが。

＊104　**加藤典洋（かとう　のりひろ）**　文芸評論家（1948〜2019年）。『敗戦後論』で第9回伊藤整文学賞評論部門。『テクストから遠く離れて』と『小説の未来』で第7回桑原武夫学芸賞を受賞。

＊105　**構築主義（こうちくしゅぎ constructionism）**　現実に存在していると考えられる対象や現象は、客観的もしくは物理的に存在しているのではなく、人々の認識によって社会的に構築されていると考える社会学の理論的立場。（出典：小学館日本大百科全書（ニッポニカ））。

＊106　**『神皇正統記』（じんのうしょうとうき）**　南北朝時代（1336〜92年）、公卿の北畠親房による「南朝」の正統性を綴った歴史書。「万世一系」の概念は本書から始まる。明治以降の皇国史観にも影響を与える。

＊107　**西周（にし　あまね）**　哲学者（1829〜1897年）。津和野藩医の子。オランダ留学後、江戸幕府の官僚に。維新後山県有朋のもとで新政府の軍官僚となり、森有礼の「明六社」にも加盟。哲学・心理学の術語（和訳）を創り、日本近代哲学の父といわれる。

＊108　**参与観察**　社会調査の方法の一つ。調査者自身が調査対象の社会や集団に加わり、長期にわたって生活をともにし、一次資料を観察・収集する方法。文化人類学などにおける異文化社会の研究などに用いられる。（出典＊小学館デジタル大辞泉）

＊109　**リプロダクティブライツ（リプロダクティブ・ヘルス／ライツ reproductive health/rights）**　性と生殖に関する健康と権利。1994年にエジプトのカイロで開催された国際人口・開発会議で採択された行動計画（通称、カイロ行動計画）。（出典＊小学館日本大百科全書）

＊110　**北原みのり（きたはら　みのり）**　日本の著作家・運動家（1970年〜）。主な著作に『毒婦たち　東電OLと木嶋佳苗のあいだ』（上野千鶴子・信田さよ子との共著）『奥さまは愛国』（朴順梨との共著）『さよなら、韓流』などがある。

＊111　**仁藤　夢乃（にとう　ゆめの）**　日本の社会活動家・作家（1989年〜）。一般社団法人Colabo、女子高生サポートセンターColabo代表。主な著作に『女子高生の裏社会「関係性の貧困」に生きる少女たち』『難民高校生　絶望社会を生き抜く「私たち」のリアル』がある。

＊112　**伊藤和子（いとう　かずこ）**　弁護士（1966年〜）。人権問題・フェミニスト運動者として活動。ミモザの森法律事務所代表、NGOヒューマンライツ・ナウ事務局長。主な著作に『イラク「人質」事件と自己責任論』（共著）『人権は国境を越えて』などがある。

＊113　**PDCAサイクル（PDCA　cycle）**　企業または事業における生産管理や品質管理などの手法の一つ。Plan（計画）→Do（実行）→Check（評価）→Act（改善）のこと。

＊114　**長谷川眞理子（はせがわ　まりこ）**　人類学者・理学博士（1952年〜）。専門は行動生態学・進化生物学。総合研究大学院大学学長。主な著作に『進化と人間行動』（夫である長谷川寿一との共著）『ヒトの進化と現代社会』（論文）などがある。

＊115　**『失敗の本質　日本軍の組織論的研究』**　旧日本軍の太平洋戦争における軍事作戦の失敗を社会科学的に分析・研究した本（中公文庫）。6名の研究者（戸部良一、寺本義也、鎌田伸一、杉之尾孝生、村井友秀、野中郁次郎）による共著。

最終章

不条理の克服へ向けて

同時代・全世界的に読まれている村上春樹

香山　では、最後に、私たちのポストモダン体験をふまえて、私たちより下の若い世代に向けて、ポストモダンが生み出した不条理をどう克服すればいいのかを、話し合いましょうか。

私が思うに、そのための最大の障壁は、〝知の劣化〟と〝知の消費〟です。たとえば、冒頭で二人で議論をした村上春樹氏の『騎士団長殺し』です。たった三年前に出版されたのに、今やすっかり忘れ去られて、議論の対象にもなりません。消費のスピードが速すぎる。なぜ此岸で徹底的に議論できず、すぐ不条理に白旗を上げ、「そうなってしまったから、仕方ない」と妙にリアリストぶるのか。

佐藤　いや、少なくともわれわれの間では全然古くなっていません。ただ大衆的な広がりが薄くなっているという見方もあります。それを説明するには、英国の社会学者アンソニー・D・スミスのナショナリズム論が参考になります。

彼の言う「ethnie＝民族」は、フランス語ではエトニー、ロシア語やギリシャ語では「エトナス」です。エトニーには「水平的エトニー」と「垂直的エトニー」とがあって、垂直的エトニーというのは、たとえばユダヤ社会のような狭い範囲ですが、エリート層だけじゃなくて下位の層まで同じ文化が共有されている。

それに対して水平的エトニーは、広範囲に共有されているのですが、下には降りていかない。中世の文化・文学は、水平的なエトニーと関係しているのです。

そこで村上春樹氏ですが、たとえば『1Q84』にしても、英訳よりもドイツ語の翻訳が早かったし、ロシア語にも共訳されている。彼の作品は、水平的に見れば、同時代・世界的に読まれているわけです。

香山　なるほど。少し視野を広げれば、そこでは議論が続いているわけですね。

佐藤　消費が早いように見えるかもしれないけれども、実は水平的なかたちを見たら、全然消費が早くない。ちゃんと読まれていて、層が薄くなっていない。

香山　とすると、それは日本だけの現象だと？

佐藤　国際的な現象だと思います。国際的に見て、その国の中で読まれるナショナルな文学というのはどこも少なくなってきていて、小説はインターナショナルな傾向になるんです。

これにはポストモダンが非常に関係しています。というか、中世的であるかもしれません。たとえばウラジーミル・ソローキンの『氷三部作』。非常に難しいので、読んでいる人がどれぐらいいるかわかりませんが、『氷三部作』は日本語で読むことができます。

香山　今おっしゃったその『氷三部作』を読む層と、村上春樹みたいな作品、他の文学でも学術書でもいいですが、それを読む層は一致すると。それが今、日本では薄くなっている。

佐藤　消費が早くなっているのは、垂直なところで見ていけば、そういうことです。しかし、文学を読んで仕事にしている人にとって、たとえば文芸評論家の富岡幸一郎氏と最近仕事をしているのですが、村上春樹は全然古くないと言う。『ねじまき鳥クロニクル』を使いますか、『1Q84』にしますか、ということになるわけです。

香山　だけど国際的に見たら、越境という意味では水平に広がったかもしれませんが、少なくとも日本ではこれまで、村上春樹はおそらく水平も垂直もあったんじゃないですか。垂直がなくなって、水平が広まったというよりは、国内だけで見ると垂直の深まりがなくなったんだと思います。だから、村上春樹作品そのものの問題ではなくて、受け取る側の問題ではないでしょうか。

文学の「消費の構造」が変わってきた

佐藤　受け取る側の問題と社会構造の問題だと思います。なぜならば、これはベネディクト・アンダーソン（Benedict Richard O'Gorman Anderson）の装置を少し借りたほうがよいと思いますが、「小説というのは近代的なナショナリズムの一つの生理的共同体をつくっている。その想像力が欠如している。だから同胞であるとかということに対して、あまり考えたりしない」と彼は言っています。

一人一人がバラバラになって、生きるのにいっぱい、いっぱいという状態。そこで消費されるものはその場の欲望を瞬時に達成できるようなもの。だからポルノ小説であり、ゲームということになってしまう。

香山　そうですね。これは音楽業界の人が言っていたのですが、最近CDが売れないと。では、みんながダウンロードをするかというとそうでもなくて、とにかくああいう音楽コンテンツが売れない。それでどうやって彼らはビジネスとして成り立たせるかというと、ライブは結構人が入る。つまり、その場でそのときしか見られない一回性のイベントみたいなライブには人が来る。だから音源は無料で配信して、ライブに人を呼んでそこでしか買えないグッズを売る。それが今のビジネスモデルになっている。

佐藤　そうですね。あるいは星野源の「恋」のように極端にPV（ページビュー）が稼げるもの。

香山　そうそう、YouTubeでね。そんな状況になっているので、いわゆる作品として残るということがあまりなくなってきた。

佐藤　わかります。ただ消費されているだけだと。その辺のスカスカな構造を描いたのが、古谷《ふるや》経衡《つねひら》氏の『愛国商売』という作品です。あれは抜群におもしろかった。でも、よく右の側からあいう人が出てきますね。彼には、右側から脱構築する根っこの力がある。

香山　雨宮処凛さんや古谷さんみたいに、ここで鈴木邦男さんを入れていいかどうかわからないけれど、時々いわゆる右や元は右だった立場からリベラル的にものを言う人はいます。

佐藤　『愛国商売』の主人公は、波多野謙。「ハタケン」という研究会を持っている。山形県の優秀な公立校を出た後、東京の私立の大学院を修了。今は私立大学の非常勤で授業をひとコマだけ持っている。渾身《こんしん》の作を一二〇〇部自費出版で出すのですが、実売が七八部。その結果ノイローゼになって、このままアカデミズムにいたら芽が出ないということで、ネットで陰謀論を書き始めた。コミンテルンの陰謀でルーズベルトは戦争に追い込まれたとか、広島に落ちた原爆はナチスがつくったという陰謀論を書いたら結構ページビューが稼げて、そのうちリアルに彼に会いたいという人たちを五〇〇人ほど集めた研究会をつくって、一カ月二〇〇〇円の会費で講演に回っている。

そのビジネスを成り立たせるのに非常に重要なのが向島にある「よもぎチャンネル」というCS放送局で、二時間だけ枠を買って愛国的な番組をやっているが、実はこれは商売で、その中で本を売って会員を確保していくというビジネスモデルなんです。

しかも彼はドメスティック・バイオレンスの傾向があって奥さんをしょっちゅう殴っているような男です。

この波多野と激しく対立しているのが土井賢治という若手の保守論客。土井は韓国に一度も行ったことがないのに「韓国経済はあと三年で崩壊する」という内容の本を書く。陰謀論で食べている自称歴史学者の波多野と自称経済学者の土井賢治の争いが『愛国商売』のストーリー展開です。右派のムラだったら、波多野がだれか、大体見当がつきます。

香山　そういう物書きが、さっき言ったように本は売れないけれど、サロンビジネスみたいに会員を集めて、信者と言っていいかわかりませんが、講演で稼いでいる。

佐藤　ある意味、これはカルト的でもあるし、ポストモダンの一つの行き着いたところでもあるわけです。

香山　コンテンツというか、コンテンツという言い方も変ですが、作品にお金を払わなくなってしまっている。それには、社会の貧困化が強く関係していると思います。村上春樹の『騎士団長殺し』の上下巻を買うと三六〇〇円（税別）です。そんなものに四〇〇〇円近くも投入したくないというか、お金の使い方を変えたというか。

佐藤　ライブのほうがもっとお金がかかります。

香山　そうなんです。いわゆるインスタ映えするもの、つまり、『騎士団長殺し』を読みましたと写真に撮って、それをアップしても何も受けないけれど、今日はイベントの花火大会に行きましたとか、ライブに行ったらこんなに長蛇の列です、とかのほうが受ける。いわゆるインスタ映えするものにだったらお金をかけられる。

佐藤　その中で欲望が満足させられる。そういうふうにつくられてしまった。

香山　そういうものだとわかっているから、そのような消費の構造に変わっていくのか、それとも逆に、そういうものが先につくられていて、それに私たちがハマっているのか。

佐藤　両方ともあると思いますが、後者のほうが大きいでしょうね。つくられた形に入っていくという例は日常で、それこそ小学校四年生ぐらいのころから塾に通い始めれば、その枠の中に徹底的に押し込められてしまう。

真の「エリート教育」が必須

香山　これは頭のいい子だけかもしれないのですが、私が病院と大学を行き来するのに午後の時間帯に電車に乗ると、いちばん本を読んでいるのは小学生です。私立に通っている知的なご家庭の子だと思うけど、図書館で借りた本とかを一生懸命に読んでいる。大人はスマホばかり見ているけれど、子どもはふつうに本を読んでいる。

『それいけズッコケ三人組』などのコミカルなものも含めて、すごく本を読んでいて、えらいなあと思ったりするんです。たぶん、学校には読書の時間があって、ある程度は本を読む時間はあるわけですね。

佐藤　本を読むおもしろさを知っている。本よりもおもしろいものがあったらダメです。本よりもおもしろいものにアクセスできないから本を読んでいるのです。

先だって狛江《こまえ》の少年院「愛光女子学園」に行ってきました。そこの図書コーナーの本はボロボロになっていて、子どもたちはすごく良い本を読んでいました。数年前、大検（高卒検定試験）を受けた子が一六人いたのですが、二人受かったそうです。

香山　一回で？

佐藤　そうです。科目の積み増しで、何科目か取れている子は全員。あの環境にいると、みんなたいへん良い教育を受けられる。

香山　沖縄の事例ですが、拘置所に読書コーナーがあって、一日三冊借りられる。朝ごはんが終わると、みんなワーッと行ってその日の本を借りてくるんだそうです。すぐ本がなくなると言っていました。何もないところだと本を読むしかないとなるのかしら。

佐藤　旧ソ連がそうでした。たとえばドストエフスキーの『罪と罰』を売り出すと朝から行列で、刷り部数は大体二〇万から三〇万で、即日完売でした。でも今のロシアではドストエフスキーの『罪と罰』を出しても、その刷り部数は一万部くらいです。ソ連時代からずっと哲学の学会誌『哲学の諸問題』を読んでいますが、ソ連時代は大体二五万部から三〇万部だった。それほど、みんな思想に関心があった。今送られてくるロシアの雑誌はすべて刷り部数が書いてあるのですが、『哲学の諸問題』は六五〇部くらい。それぐらいまで減っている。

香山　驚きですね。知的劣化は、別に日本に限らないということですか。

佐藤　そうです。全世界的な現象です。

香山　劣化は世界的なものとして、構造の変化はどうでしょう?

佐藤　中世的になって水平化しているのかもしれない。

香山　先ほど言われた「垂直」に残った人たちは、では何に向かっているんだろう。ボーッとしているわけじゃなくて、先ほどの「ライブ」に行ったりとか。

佐藤　ボーッとしてるわけではないでしょうが、ブラウン運動みたいなかたちで忙しいんだと思う。あちこちフラフラして小さな揺れを起こしている。ですから、それを物語につくらないとダメですね。

香山　物語で回収できますか。

佐藤　物語で回収するしかないでしょう。

香山　『千の顔をもつ英雄』を書いたアメリカの神話学者ジョーゼフ・キャンベル（Joseph Campbell）。映画監督のジョージ・ルーカスも大学で彼の授業を受けて感銘を受け、その英雄伝説を「スター・ウォーズ」三部作の原型にしたというのはよく知られています。ロールプレイングゲームも「スター・ウォーズ」もすべて同じ英雄伝説の構造です。辺境の村で生まれた、出生の秘密があるという子どもが、旅に出て何かを成し遂げなさいという召命を受けて村を出る（出立）。すると多くの敵がいて、だんだん自分の生まれた秘密がなんとなくわかってくる。そのうち超越的な援助者も出てきて、最後は自分が王様の子どもだったのがわかり、敵を倒して帰還する。英雄伝説の基本構造ですね。

佐藤　それは全部、辺境の物語の変形ですね。

香山　そうですね。キャンベルは世界の英雄伝説は全部構造が共通していると指摘し、ユング心理学的な無意識があって、みな同じだと。北欧人であろうがネイティブアメリカンであろうが、あらゆる民族に共通すると。この基本構造は手を替え品を替えてエンタメ作品となり、漫画の『ワンピース』もそうですね。

だけど、今は物語のそういった定型にすら耐えられず、瞬発的な絵一枚とか、さっき言ったインスタ映えするおいしそうなパフェの写真一枚とかにみんなが一斉に感動する。小説のように長くなると、かったるい。そんなふうになっている気がするんです。そういう時代でも、「物語」は可能なんでしょうか。

佐藤　可能だと思います。

香山　それは今言ったような古典的・神話的な物語ですか。それとも……。

佐藤　もう少し知的な操作です。これは「感化」でやっていくしかない。感化＝教育です。教育の中で、具体的なネットワークをつくり上げてやっていくしかない。最近私は教育に関心を持っていて、いろんな現場で試しているのは、スマホを手放させ、インスタもＬＩＮＥも切る。すると、書籍を読むようになって、文章を書くようになる。

香山　それは具体的には、どうするのですか。そのコツを教えてください。

佐藤　まず大学の授業を非常にインテンシブにやる。一日の講義の時間を五時間ぐらいにする。それで映画を見せ、その評価を議論して、ある程度のことを覚えさせる。試験して採点はするけれども、席次はつけない。出席簿もつけない。そういったかたちで、一つ一つ丁寧に説明する。

なぜ試験をやるかというと、試験そのものには意味がないけれど、記憶に定着させるためです。そうした積み重ね方式で勉強させていく。そうすると学生はおもしろいほど変わってくる。たぶんロシアやイギリスなどでも、インテリ層の教育は同じだと思う。これは、日本の旧制高校というより、中世の神学校的なやり方です。

香山　神学校もそうなんですか？

佐藤　そうです。中世の神学部の一般教養は九年、専門課程が一五年。合わせて二四年かかりました。今も基本的な構造は変わりません。だから二五年くらい勉強したところで、一つの到達点に立つぐらいな感じでやっている。それと同じようなことを同志社大学神学部で始めてみたら、とりあえずうまくいっています。

香山　そこには二つの問題があると思います。一つは、一人の教師で見られる生徒の数はすごく限られるということです。

佐藤　それは先に長谷川眞理子さんの言説を引いたように、やはり一五〇人くらいが限界でしょう。いっぺんに一五〇人でなくて、トータルの人生で一五〇人分ぐらいが限界。ですから、その時点でネットワークの広がりを持たせないとダメですね。

香山　もう一つはインセンティブ。その辛いトレーニングに耐えたほうがいいんだというモチベーションをどう持たせるか。

佐藤　それは、耐えられる者だけ、ということですね。

香山　そうすると、一部の選抜された者、あるいは能力と環境に恵まれた者にのみ授けられるエリート教育みたいになりませんか？

佐藤　私にはそれ以外の方法が思いつきません。「おれはエリートだから、取り分は全部おれのものだ」というような、そういうつまらない人間をつくるのではなくて、ちゃんとノブレス・オブリージュを目指して、責任感を持たせる。日本もそういうエリート層をつくらないといけません。

学生に必要な学問とは

香山　私はエリート層への教育には抵抗を感じる立場ですが、そんな若者たちにはどんな教育が必須なんでしょうか。

佐藤　論理です。言語的な論理は国語と英語です。とくに非言語的な論理で重要になるのが数学です。何を置いても論理だけを先に叩き込んでおいて、あとは歴史的知識をきちんと積み重ねる。だから、まず論理的な訓練をします。それからある種のことを覚えて再現する練習です。

香山　そうですね。でも、その辛抱強さを、このスピードこそ命の情報化時代に行うことは、はたして可能なのでしょうか。

佐藤　キリスト教の場合は簡単で、最初に新約聖書と旧約聖書の話をして、「主の祈り」と「使徒信条」を憶えさせる。それからニカイア・コンスタンティノープル信条とカルケドン信条とアタナシオス信条を憶えさせる。そこまで丸暗記でき、復元できれば暗記力に関してはもう大丈夫。他の教育ショップは何でもいいんです。

香山　昔みたいに『論語』を読んで暗記させる、といった習練ですか？

佐藤　『論語』では意味がわからない。門前の小僧に習わぬ経を読ませちゃダメなんです。意味が理解できて暗記できるようなものじゃないといけません。

香山　それは何歳のころにやるべきなんですか。

佐藤　大学の一回生。遅くとも二回生の春学期ぐらいまでに終える。その後、学生にはみんな大学院に行くように勧めています。どうしてかと言うと、今の大学のシステムだと一回生から真面目に勉強しても三回生の秋から浮き足立つでしょう。

香山　就活ですね。私の学生も三年後期からゼミに来なくなります。でも、注意できません。

佐藤　内定が出るのが四回生の六月ごろだけれども、そのあとは勉強しないですから。

香山　学生は三年生の後期から来ないです。

佐藤　そうすると、勉強するのは実質二年半です。ところが大学院に上がると、就活が短い。一年の一月くらいから始めて、大体内定が出るのは六月と、学部と一緒です。二月はほとんど試験学期。三月は実質春休みだし、大学院の授業を受けられないのは四月と五月の二カ月だけなんです。それでなおかつ、修士の一年目で就活して、二年目で内定が出て、六月から修士論文を書くから、結局は五年七カ月間は集中的に勉強する。だから学部卒になるか、修士に行くか、修士二年プラスにするかによって勉強するための持ち時間が全然ちがう。同志社では理工学部は三年・三年で組み立てをする。通常四年でやることを大学院へ行く学生は三年で終えて、大学院レベルの研究は少し博士にかかるぐらいで、四年生から始まります。理工学部ではそんなことになっている。私もだいたい同じ考えで、神学部でも少し早回ししています。うちの場合、学生が少ないからやりやすく、先生が勝手にやっていいというところがあります。

香山　でも、大学院まで行ったら、受け持つ学生の進度に差が出てくるんじゃないですか。学部差もあるだろうし。

佐藤　確かにあります。それに関東と関西の違いもあります。今度三人ほど東京に呼んで、私がロシア語を勉強している語学学校に押し込んで、インテンシブに英語とフランス語をやらせる予定です。結局、一つの語学学校や大学の学部の授業はほとんど役に立たない。大学院も同じことで、語学に関してはぜんぜんダメ。いわゆる語学学校、京都や大阪の語学学校は、ロシア語に関しては教養としての外国語というスタイルですから、教える側も学ぶ学生も全然緊張感が足りません。

だからＴＯＥＦＬのスコアを上げるにしても、高校生相手にやっている学校はダメで、企業を相手にやっている学校じゃないとスコアが上がらない。勉強の仕方が厳しい学校は東京に多い。だから私は東京で五日間学ばせようと思っているんです。

香山　そういうやり方があるんですね。

佐藤　私がロシア語を勉強しているＬＩＧという学校は小さい学校で、そんなに授業料も高くない。一時間で四〇〇〇～四五〇〇〇円です。ここの英語教師は、ＴＯＥＩＣが九九〇点満点で、中学高校の一級の英語教師の免許と英検の一級、それに通訳案内士の資格を持っていて、TOEFLはiBTで一一五。まず、外国人の英語教師としてはこれ以上ないという人です。

それで学生がはたしてどれぐらい伸びるか。五日間、私の仕事部屋を貸してやって、その学校に通わせる。二時間の授業ですが、英語の予習に六時間から八時間ぐらいかかる。それを五日間やらせる。それ以上やると潰れちゃう心配がある。それでどれくらいスコアが上がるか見てみようと思っています。それがうまくいけば、そのシステムを大学の中に入れようと。スーパーグローバル化みたいな無意味なことはしないで、英語、フランス語、ドイツ語、ロシア語を必要とする学生に、そういった道筋で勉強の仕方を教える。留学するためには、こう勉強しなさいと。そんなことをやりたいと思っているんです。

香山 本当にマンツーマンで一時間四〇〇〇円なら安い。よくやっていけますね。

佐藤 プライベートレッスンだと、通常は、だいたい六〇分で一万円が相場です。

香山 英語だけじゃなくて、ロシア語もあるんですか。

佐藤 はい。さすがにその学校ではチェコ語と琉球語はできないから、大手のところに行って、一時間一万円払って学んでいます。

香山 琉球語を教えてくれるところもあるんですか？ 語学教育はすごいですね。

佐藤 ありますよ、一カ所。「DILA（ディラ国際語学アカデミー）」という学校です。四谷にあります。以前は大学書林国際語学アカデミーという名でした。

YouTubeとヘイト界隈

香山　私はエリート教育に立ち入るつもりはあまりなくて、いわゆる一般的な人たちをどうするかを考えると、本当に困惑するんです。最近、私はユーチューバーのKAZUYAさんという人といろいろやりあっているんですが、KAZUYAさんをご存じですか？

佐藤　知っています。北海道帯広工業高校出の人ですね。

香山　そうです。彼がすごいのは、二〇一三年ぐらいから、毎日動画を出しているんです。本当に短い、三分ぐらいの動画なんですが、中国・韓国を貶《おとし》める動画などを見つけてきてそれをアップしている。ただ、それをまとめているだけで、あまり自分の見解を言わないのですが、そのピックアップするものが、最初はもっと一般的なカメラの話とかもあったのですが、だんだん先鋭化してきて、今は中国・韓国のヘイトものばっかり。

佐藤　そっちのほうがページビューが取れるからでしょう。

香山　今チャンネル登録者数が五〇万で、一〇〇〇本ぐらい動画があって、再生回数が一億回。ユーチューバーは登録者数と再生回数で月収いくらと出てくるんですけど、彼の月収は二〇〇万円ぐらいになっているだろうと言われていて、それに講演会とかもある。数年前から『週刊新潮』に連載していますが、二回目に、沖縄の基地反対運動には北朝鮮と中国の影があると書いた。「自分も見てきたが、ハングルで書かれたクッションがあった」とか、本当にでたらめばっかり。私がそれに対して「ちょっとひどい」みたいなことをネットで書いたら、そのときにちょっとだけ絡んできたんですが、その後は何もなかった。

二〇一八年夏ごろからヘイト動画を削除しようという動きが何と5ちゃんねる（元2ちゃんねる）をベースにして広まって、KAZUYAのチャンネルはヘイト満載だから、当然、これは通報しようとなる。そしたら、KAZUYAも賢いから、自分で一〇〇〇本のうち四〇本を残して非公開にした。他人からの通報で三本消されるとチャンネルが凍結されて二度と開けないんです。それを避けるために自分でヘイトと思うものを全部非公開にしたのです。でも、ニコニコ動画には一〇〇〇本全部が残っている。

私もいろいろ見てみたんですが、どれも三分くらいで、コンパクトで主張は明快、とてもわかりやすい。これを見て、ああ、そうなんだと世の中に目覚める中高生も多いみたいです。KAZUYAで歴史を学んだなどと言ってる子たちが今二〇代になっています。

佐藤　そういう人たちが社会の指導層に行かないようにすることが重要です。東工大なんか非常に危ない。私の知っている人でも工学部系は結構危ない思想を持った人がいる。

どうして理系の学生が危ないかというと、まずセンター試験の社会科が一科目になって、暗記しないといけなくなるから誰も日本史や世界史を取らない。政経または倫理を取る。高校の通常のカリキュラムでは理科系クラスは、公立校なら世界史Bです。日本史は選択だから、日本史を選択する子はほとんどいない。だから歴史に関する知識はほぼ皆無。ということだから、理系の学生は構造的に思想に対する耐性が弱いと私は見ています。

これはなんとかしないといけないということで、歴史学者の山内昌之さんが非常に熱心に取り組んでいて、歴史総合、地理総合というかたちにして必修化していこうとしています。これは理科系だったら基礎理科の流れと一緒です。これは非常に重要なことです。

香山　KAZUYAみたいな人が新しいメディアに行ったら大変です。これから出てくる人たちが新しいメディアをつくるという可能性はありますよね。

佐藤　新しいメディアはそこが問題です。新しいメディアをやっている人たちは、たとえば「AIができればいいんだろう」みたいな発想で、「ラッセルのパラドックス」を尋ねても知らない。自分たちでコンピュータをどう処理するのかという問題の所在そのものがわからない。問題なのは、「やがてAIによってシンギュラリティが来るから、それを使うことで中国は覇権国家になる」などと言う人間が、ある程度エリート層の中にいることです。

香山　そういう人たちが集まって、今政府がやろうとしている「Society 5.0」や「ウェブ2.0」があるわけですね。

佐藤　そうした人物を行政自身が外せなくなっているのが問題です。何しろ東京医大に自分の息子を不正な手段で合格させるような輩《やから》が文科省の局長をやっているのですから。それからJAXAに行って一五〇万円の接待を受けて何とも思わないような輩もいる。いずれもわれわれの世代です。そのツケが今来ているんです。だから同じくらいの期間をかけて正常なかたちに直さないといけない。一〇年、一五年とかけて取り返さないとダメですね。それには教育です。二世代かけたら取り返せます。

香山　それではダメと思うのは私たち世代ですが、今の若い当事者たちは、それこそＡＩで後れを取ったとか、中国が伸びてきていると浮き足立っているわけじゃないですか。

佐藤　大丈夫です。たとえば「シンギュラリティが来る」と、数学基礎論的に成り立たないことを言っているような人たちは淘汰《とうた》されます。星占いで人生相談をやっている人が臨床心理士や精神科医に代われないのと一緒です。

前にも触れたけれど、たとえば飛ぶ鳥を落とす勢いだった小林よしのり氏の勢いがほとんどなくなってしまった。何事もそういうものです。

香山　安倍政権はダメとか、原発はダメとか、彼にしては左旋回しているかのように見えるからかもしれません。ＫＡＺＵＹＡは小林よしのり氏の影響を受けたと告白しています。北海道の田舎で、必死で小林よしのりを読んでいたと。でも今は右の人たちも、小林よしのり氏には失望しているみたいです。もっと過激な保守的なことを言ってくれ、ということですね。

佐藤　だけど、それもそんなに持たないと思う。これはナショナリズムが高揚するときは必ず出てくる。あまり好きじゃないけど、丸山眞男も、いわゆる物語をつくってくれた。それが結局はより悪質のものによって駆逐される。これを逆転させて、良貨が悪貨を駆逐するしかない。長期的なスパンとして、それは間違いなく可能です。

香山　物語ならまだいいんです。説得のしようがある。だけど、この説得のしようがない状況は回収できるのでしょうか。

佐藤　回収できます。ただしその中で相当数の人がボロボロになっていくのは間違いないと思います。

香山　私は、不可逆的なものなんじゃないかと思ってしまうのですが。

佐藤　私は楽観的です。マルクス経済学者の宇野弘蔵は、こう指摘しています。定期的に恐慌を繰り返して、それはあたかも永続するかのごとく続いていくシステムだと。私もそういうものだと見ているんです。だから恐慌の形が変わるだけですね。

香山　これは非科学的な言い方ですが、あの人たちは本当に想像力がないと思うんです。人間を人間たらしめているのは、人の立場でものが考えられる、相手の心を推測できる、それが人間たる根拠の一つだったわけですが、それがまるでない人たちがいるように思えてしまう。

成功モデルになりえないユーチューバーとブイチューバーの世界

香山　この問題を考えるときの手がかりの一つが、いわゆるユーチューバーです。世界でいちばん登録者数が多いのはスウェーデン人のピューディパイ（PewDiePie）という人ですが、本人の公表では、一億人のチャンネル登録者がいて、毎日一〇分ぐらいの動画を公開するだけで、年収は一五億円。英語版だけど、英語が全然わからなくてもおもしろい。とにかく無意味なことをやる。歌ったり、自分がゲームをやっているところを見せてゲーム実況をする。それからウイスキーの飲み比べ。「今日は日本のウイスキーを飲み比べようぜ」とか言って、サントリーを飲む。何の予備知識もなくやることが大事のようで、「初めて見た。これは日本のウイスキーでサントリーの一五年ものらしい。そんなものがあるんだ」とか言いながら、「うまい」とか「軽い」とか言ってるだけ。そんなことを毎日やっている。編集のセンスもそれなりにある。それを、アーカイブ視聴者も含めて、世界で一億人が見ている。何の主張もしないし、オチもない。結論を言わない。

佐藤　結論がない。流れゆく日常を見せている。

そのヴァーチャル・リアリティの関係でもう一つ挙げると、スウェーデンでは紙幣がほとんど使われなくなった。もはや国民が紙幣について憶えていない状態です。ほとんど電子決済。だから自国の紙幣を見たことがない。ヴァーチャル・リアリティが極限まで進んだかたちです。

香山　それが、世界の現実ですね。日本で唯一、その世界で進んでいるのは、ブイチューバー。それはもうユーチューバーですらなくて、いわゆるアニメ的なキャラクターが出てきて、それが今言ったような、一見無意味なことを実況する。三万円くらいのソフトを買ってアニメのキャラクターをつくっておくと、パソコンについているカメラでこっちの表情を読み取って、その画面の中のアバターが、それに合わせて口を動かす。やっているのは中年のオジサンなんだけど、出てくる登場人物はかわいいアイドル、それがゲームをやって見せたりするんです。

佐藤　ただ、年収一五億円と言うけれども、世界の資本から見ればそんな大した額じゃない。二極化して、結果できたのは新しいプロレタリアートの世界です。新しいプロレタリアートの中のロールモデルで、そうなりたい人たちがそこに集まってくる。

結果として、意味ということを理解できなくなって、受動的な人間ばかりになってくる。これは資本の論理にとっては都合がよい。資本主義の再生産。成功モデルの稼ぐお金が話題になって、自分がそうなりたいと思って見ている。それと同時に何千万人が見ているということで、バーチャルなつながりはあるわけです。

香山　ありますね。彼らにとって、そのつながりはリアルと遜色《そんしょく》がないものとなっています。

佐藤　そこで「夕べ、何を見た？」と共通の話題になる。でもその人たちはその時間は他のことは何もやっていない。また、自分でYouTubeの組み立てをやろうものなら、それでほとんどエネルギーを使ってしまう。

香山　私は何でも学生に聞くので、学生にどう思う？　と聞くと、ブイチューバーは日本がいちばん進んでいる。今や日本が世界に誇れる唯一の分野になってきたと言っていました。

私の今いる立教大学の映像身体学科には、映画製作のために導入したすごく高価なモーションキャプチャーという装置があります。自分の体の動きをそのままネット空間に配信できる。三万円ぐらいのソフトしか使わないユーチューバーが喉《のど》から手が出るほど欲しいような機械です。学生に、あんたたちもやんなさいよ、と言ったら、いちばん古典的な学生は、さっきのピューディパイを見せると、時間の無駄だと。それこそ今佐藤さんがおっしゃったように、「これを見ている間はほかのことができない」とか、「延々とそのアーカイブを見ちゃうから、日がな一日終わっちゃう」なんてことを言う。

それはすごく正統的な意見ですが、でも今やそんな意見も駆逐されるぐらい、見られたり、やられたりしてるような時代に、どうしたらいいか。それを食い止めて、いやあなたたちもっと本を読みなさいと言うべきか、逆にユーチューバー大賞を得られるような、ましなコンテンツを提供させるべきか、今すごく悩んでいるところです。

佐藤　両立はできないと思います。ただ後者になると、逆にパワーエリートをつくらないといけません。コンテンツを提供できる、非常に強力なエリート集団です。

香山　行動が知的なものになってくる……。

佐藤　前衛の思想です。たとえば、安倍内閣がどうしてこんなに持つのか。一言で言うと、超然内閣だからです。今の国会は国会じゃない。ただの諮問会議です。諮問は受けますが、安倍政権の意思形成には関係ない。だから、超然内閣。トランプも、超然内閣です。

香山　それが受けるのは、こちら側の問題ですね。

佐藤　国家が生き残るためにはそれが必要だという論理です。それから今は、われわれ一人一人がバラバラになっている。たとえば柚木麻子《ゆずきあさこ》さんの『伊藤くんA to E』はTBS系列でドラマになり、映画にもなっていますが、主人公の伊藤くんは抜群におもしろい。

伊藤くんは〝土俵に立たない男〟です。土俵に立つと世間に評価されるから嫌だと。批判されて、打ちのめされても立ち上がれるのは一部の強い人間だけ。だから自分は何もしない。評価されるような土俵には絶対立たないし、競争もしない。女性との関係においては、相手に対してものすごく高飛車に出るか、ストーカーになることしかできない。これは新自由主義的な流れが強まって社会にがんじがらめにされ、結局はメンタルを病んでくたくたになっている今の男たちの姿です。土俵に上らないのは、防衛反応です。

香山　その防衛反応から土俵に乗らない男が、ある日YouTubeで「じゃあちょっとしゃべってみよう」となったら、もしかすると年収一五億円になるかもしれない。

佐藤　そうかもしれません。でも分母がどれぐらいかということです。おそらく数千万単位あるいは億単位の分母のうちの一人の話でしょう。ロールモデルには到底なりえない。事実上、実現不可能です。幻想を持たせるだけという装置です。

それで思い出すのは、竹内洋氏の著作『立志・苦学・出世　受験生の社会史』。戦前にあった講義録ビジネスの話を書いている。小学校を卒業して、そこそこ頭が良いけれど、経済的な理由で進学できない子たちに、大学の講義録を売りつけるという話です。

香山　ハーバード大学の白熱教室みたいな感じですね。

佐藤　ところが、読んでもその講義が理解できない。それを通過することで「自分はダメな人間なんだ」と納得するというプロセス。戦前における高検、大検のシステムは今と比較にならないほど難しかった。そこで這《は》いあがって東大に入るのはほぼ無理。まさに今のユーチューバーと同じですね。到達不能なロールモデルなのだけれど、そういう道もあるということでみんなその競争の中に入っていく。

当時の人気作家、佐藤紅緑《さとうこうろく》が『少年倶楽部《くらぶ》』に連載した『あゝ玉杯に花うけて』という小説はそうですね。主人公は、亡くなった父親が政治に入れあげて没落したため叔父のやっている豆腐屋を手伝っているチビ公。これが、地域教育のために尽くしている元官僚の私塾「黙々塾」に行って勉強している。富裕層である埼玉県立第一中学（県立浦和高校の前身）の生徒たち、それから一中生ほど富裕層じゃないが、少なくとも家計のために働かなくていい師範学校の生徒たちがいる。こういった生徒たちとの熾烈《しれつ》な競争をしてチビ公が勝ち抜いて一高に入学するという物語で、戦前に映画化されています。

香山　それだと、まだプロセスが可視化されているじゃないですか、この勉強をして、これだけ単語を覚えたり計算ができるようになってだんだん成績が上がっていく。だけど、さっきのユーチューバーの何億人の分母の中で抜きん出るかどうかというのは、まったくそのプロセスがわからないですね。

佐藤　確かにそのちがいはあります。ユーチューバーの場合、運の要因が大きい。もっとも、私が六三歳まで外務省で勤め上げたあとに、「これはソ連崩壊時の体験談です」と、『自壊する帝国』（大宅壮一ノンフィクション賞受賞作）を書いて出版社に持って行っても、どこも受けてくれないでしょう。自費出版社におそらく二〇〇万から三〇〇万円ぐらい取られて、販売部数五〇部くらいで終わっていたと思います。

香山　佐藤さんがまったく想定しない逮捕劇に巻き込まれたことも、ある意味「運」だったということですね。

佐藤　そうです。全然計算していなかった。結果として、なぜ職業作家になれたのかといえば、偶然、事件に巻き込まれたからです。

香山　今思えばなるべくしてなった。すべては神様のご計画だったと考えれば腑《ふ》に落ちますね。

なぜ若者の保守化が進む？

香山　話をネットの新しいメディアに戻すと、若者たちのあいだの〝知の劣化〟で気がかりなのは、いわゆるインフルエンサーの存在です。

佐藤　インフルエンサーのポイントは、お金に対してどのような価値観を持っているかですね。金銭回収が目的のインフルエンサーはダメです。これは資本主義の論理に対抗できない。資本主義の論理に逆行するようなことをある程度きちんとやるためには、やはり、お金が要ります。

香山　今から二五年くらい前に『ファミコン通信』というゲーム雑誌に連載を書いていたのですが、今私に寄って来る人の中に、それを読んでいたという人が結構います。彼らのツイッターを見ると、今は完全に差別主義というか、極右です。自分は安倍政権絶対支持とか書いている。

その極右的な排外主義や韓国や中国に対する嫌悪感を持っている人たちは、かつてはたぶんゲームを楽しんだり、私の連載を読んでいたわけで、彼らは「自分は変わっていない。香山さんは変わってしまった。もとのところに戻ってほしい」とか、「なんでそんなふうになってしまったのか」とか言ってくる。それも、一人や二人ではありません。

佐藤　そういう人たちは香山さんに相手にしてもらえて嬉しいのでしょう。

香山　でも、その人たちの今のツイッターを見ていると、本当に知性的じゃない。完全にテンプレートというか、決まりきった野党への不満、民主党が日本をダメにしたとか、同じ話ばかりしている。すごく知的に劣化した大人になってしまったように見えます。

歳のころは四〇～五〇歳ぐらい。昔は私と同じようなところにいて、私もそこで発信していたのに、かなりのパーセンテージでこういう人たちが生まれてしまっている。それに対する何かちょっとした責任感というか、どうにかできなかったんだろうかとの思いがあるんです。こういう話をすると余計なお世話だとか、上から目線とか言われますが。

佐藤　何をやっている人たちですか？

香山　わからないですね。何人かはおもしろいので、ちょっとツイッターを覗《のぞ》いて見ると、子どもがいる大人だったりする。

佐藤　排外主義に偏ったり、ヘイトを書き散らしている人たちは、だいたい階層としては中産階級。それほど下層の人たちじゃないですね。ある程度、時間もある。

香山　確かに。ヘイトデモにまで出てくるのは、もう、めちゃくちゃな人たちです。

佐藤　そのへんは、古谷経衡氏がよく調べています。

香山　古谷さんが言うには、東京の郊外で四大卒で年収六〇〇万とか七〇〇万円。そういうレベルの人が結構いると。どれぐらい信憑性《しんぴょうせい》があるかわかりませんが。

佐藤　古谷さんの場合、統計的なデータ処理というよりは参与観察ですからね。そこのところは皮膚感覚で知っている。一カ月に二〇〇〇円出せる人はそれなりに余裕はある。あるいは桜のバッジをつけて一カ月に一〇万円出している人とか。古谷氏はそういうのを見事に描いていると思う。

香山　八〇年代、九〇年代的な「面白主義」。おもしろければいい、真面目なことを考えるのはダサイとか、そういう人たちが今、大量に生まれています。

先ほど言ったインターネットの動画を削除しているような若い人たちで、親がネトウヨになったという人が結構いるんです。自分の親が急に、子どもへ「お前は在日か」と言ったという（笑）。

佐藤　沖縄の若い者が保守化しているというのは、沖縄の平和教育がかなり形骸化《けいがいか》して、押し付け教育になっていることへの反発もあります。

香山　きっとそうですね。
佐藤　平和教育のコンテンツそのものに反発しているわけではない。
香山　自分が被害を受けたみたいなことになっている。自虐史観から自由史観へ、ではないけど、もうこれからは無理やり日本は悪かったみたいな押し付けは嫌だということなんですね。
佐藤　どうやってそれをクリスタライズ（結晶化）しようかというと、これは大変な話です。

ゲームの変質

香山　それに関していうと私には内心忸怩《ないしんじくじ》たるものがあります。先ほどファミコン通信の読者がネトウヨ化していると言ったけれど、私もあのファミコン通信の連載で、繰り返しゲームは素晴らしいと書いていました。当時はまだインターネットはありませんが、「ドラゴンクエスト」みたいなロールプレイングゲームは自分が主人公になれる。そのゲームでは、たとえば香山と名前をつけると、「香山さん、お待ちしてました」とか言って部下たちが待っている。そういうプログラムです。
　そこで得られるのが、「あ、ここに私を待っている人たちがいる」とか、「私が参加して世界をつくっていく」という手ごたえ感と、疎外されていないという喜び。私の患者さんでもゲーム好きの人がたくさんいて、彼らは家庭で、学校で、あるいは会社で疎外されていて、自分の居場所がない。湯浅誠さんが「居場所も出番もない」とよく言っていましたが、まさにその「居場所も出番もない」人たちなんです。それが、ゲームの中にあるあの嬉しさで、逆にリアルの世界を生きる力になった例もたくさんあったんです、当時はね。

佐藤　それは今もあります。

香山　だけど今は、現実世界の中で、それが得にくい人たちも多いと思うのです。

佐藤　ゲームは深刻な問題です。たとえば浦和高校の偏差値は七三ぐらいです。地方の中学だと数年に一人ぐらいしか浦和高校に入れない。相対評価だから半数は下位集団に入ることになります。そうした生徒の一部がゲームに逃げる。遅い時間までみんなゲームをやっている。ただし昔のゲームと今のゲームのちがいは、お金です。ゲームにかかる金が今や桁違い。課金がある。それから、ある種のアイテムは、無料で取るのはほぼ難しい。ここでも新自由主義が関係しているのです。

香山　それから人がネットでつながっているから、人間関係が発生する。今のネットは全然自分の王国ではなくなっている。その中で、いじめられたり、ぼやぼやしてて怒られたり、急に切りつけられたりしている。

佐藤　でも香山さんは幅広いかたちで水平的な広がりを持とうとする傾向があります。私は、そのところは最初から諦めています。

香山　私の場合はいわゆるエリート、上の方があまり見えていない。むしろ、ネットにいる、名もないと言ったら失礼だけど、そういう人たちとのやりとりのほうに、圧倒的に興味があります。

佐藤　私は逆に、そのあたりの人間関係がもともと狭い。だから、たぶん大きいことはできない。大きな集団の中でのリーダーシップはない。ただ一五人とか二〇人ぐらいの規模では強力なチームをつくることはできますし、これまでもつくってきました。

最近学生たちに対して気をつけているのは、原発の話や安全保障、領土問題の話をしないことです。昔、いかにテロが怖いかという説明をしたら、テロ対策で大切なのはネットパトロールを強化するとか、情報監視を強化するとか、学生はほとんどそういう方向に考えるんですよ。ですから、その種の話は相当気をつけないと、学生は物事のバランスがわからないから、そっちの方向に行ってしまう。そこへ行かせないようにするには、極力抑制してそういう話はしない。あるいは国体論や天皇の話もほとんどしない。神学だったら神学に限定する。あるいは市民社会とは何か、人権とは何か、そういうベーシックな話しかしない。

香山　繰り返しますが、今ゲームの中の「居場所と出番」を与えているのは右派の人たちです。ゲームの中の正義があります。敵を倒せば、そのゲームの中に平和がもたらされる。今はたとえば、朝日新聞を倒せば日本に平和が来るとか、反日弁護士を懲戒請求してクビにすれば平和が来るとか、私みたいな反日言論人をやっつければ平和が来るという物語を与えて、しかも具体的な方法まで与える。たとえばメールをしましょうとか、懲戒請求を出しましょうとか、香山は立教大学で講座は何々です、みたいな情報を与える。それで彼らは、意気揚々としてそれをやる。

佐藤　意気の高揚と軽い気持ちと、その両方がある。

香山　ゲームという軽い感じだけれど、そうじゃなくて、ゲームよりさらにリアルな物語に自分は参加できている、「場所と出番」が与えられていると思っている。

佐藤　とりあえずは、ですね。

香山　安倍政権擁護とか、安倍総理支持というのもその一つだと思います。

佐藤　もう一つは、自己保身です。お上に逆らわなければ大丈夫だと。

香山　「勝ち馬に乗る」的な。

佐藤　勝ち馬に乗るというか、体制に反抗する怖さがある。それはスクールカーストの中でいちばん力のあるやつとは絶対喧嘩《けんか》しないし、学校とも喧嘩しない。その体質と一緒です。

香山　そういう恐怖的なものもあると思うけど、安倍擁護、安倍真理教とか言われるような人たちを見ると、もうちょっと楽しそうなんです。自分は良い国づくりのために政治の中心にいる安倍さんを応援しています、みたいな。

佐藤　それは市民社会を全然わかっていませんね。市民社会というのは代議制民主主義を取るから、国家に貢献する良い市民社会では、逆に政治をやらないことが善なのです。お上に追従して働き、税金を納めることです。ネットで香山さんたちを攻撃している人たちが、そのことをきちんと理解しているとは思えない。

香山　反日言論人を攻撃したり、講演会をつぶしたり、職場に電話したりすることが、敵を倒しているという使命感になっている。

佐藤　ゲームは、そこで課金ができるというかたちで資本主義のプラスになる。しかし、言論とかゲームというのは機会費用で、その分労働しなくなるわけだから、それは資本主義にとってマイナスです。

香山　本当ですね。私は彼らの攻撃に困っていると言いたいのではなくて、その人たちにリベラル側が「居場所と出番」を用意できなかったという反省が一つ。与えると言うと〝上から目線〟ではあるのですが。

佐藤　出てきてはいけない人たちが出てきているというのが今の現象で、それは長期的には続かない。それは、後期資本主義の柔構造の中で、まだ少し余裕がある中で起きていることで、もう少し余裕がなくなれば、それは淘汰されます。市場メカニズムというのは、本当にうまくできている。

香山　淘汰というよりも、そういう人たちにもうちょっとものを考えてもらったり、本を読んでもらったり、何かをしてもらわないといけないと思う。

佐藤　法華経に「提婆達多《だいばだった》論」というのがあります。提婆達多はどうして出てきたかと言うと、世の中には悪事を働くヤツがいるということを認識させるため。だから、そういう人間にはやらせておけばいいんだと。

香山　いや、ちがうんです。私は、こういうこと言うと彼らはカチンとくるでしょうけれど、かわいそうと言ったらまた変ですが、彼らを何とかしたい。それは自分の責任もあると思うから。ゲーム雑誌で一緒に同じようなゲームを楽しんできて、こっちは社会の中に居場所と出番を曲がりなりにも得たから、ちがう発想をしているわけだけど、彼らはああなってしまった。

佐藤　それを聞いたら、その人たちは怒りそうですね。

香山　絶対、怒ると思います。

佐藤　その辺りが、この対談の核心みたいな気がしますね。客観的データに基づいて自分の頭で考えることができることが、公共圏で政治について発言するための入場券です。入場券がないのに入ってきてはいけない。

香山　彼らが居場所と出番的な感覚を今のネトウヨ的なものに絡め取られないようにしないと、社会の底上げにも結びつかないと思います。

佐藤　底上げしたほうがいいのか、そこは封じ込めて別のところで政治に触らないように仕向けるか。倫理的には問題のある発想です。

香山　でも、私は今ちょっと希望を持っています。二年前の夏ごろから起きているＹｏｕＴｕｂｅの動画削除です。もうすぐ一〇〇〇チャンネルが凍結され、これまで四〇万本の動画が消えました。それはヘイト動画をＹｏｕＴｕｂｅに報告すれば消してくれるというのがわかったから。それを多くの若い人たちが、自分たちは左派でもリベラルでもない、ただおもしろいからやっていると。

佐藤　それは、ＹｏｕＴｕｂｅの基準もありますが、そうした広報が強化されているのは、明らかにテロ対策ですね。ネトウヨがテロリストの予備軍にされているんです。これはツイッターの株価が下がったのと一緒です。

香山　それは、そうかもしれません。

佐藤　ヘイトは密度が強まるとテロになっていくわけです。国際基準で見て、日本の中に潜在的なテロリストがあれだけ生み出されているということです。忘れてはいけないのは、世界でいちばん最初に大量破壊兵器を使ったテロが行われたのは日本で、オウム真理教のしわざです。

香山　動画削除に励んでいる人たちは、私たちはおもしろいからやっているだけで、正義と言われたら嫌だと。でも、彼らはそれぞれ学習していて、多くの無名な人の学習した知が積み上がっていっている。「これはヘイトであり、こんなことをやっているのは日本だけだ」と。韓国語ができる人が韓国のＹｏｕＴｕｂｅを見ると何もヒットしない。「どうもこれは日本だけのようだ、国際的にはどうなんだ。日本のヘイトスピーチ対策法はどうなっているんだ」と。その数が一〇〇万人いるとは思わないですが、何千人か何万人かの若者たちは結構すごいところまで到達しているんです。

わりとましな、本を読むことにもそんなに辟易《へきえき》していない若者たちが、左翼的な人たちや私たち世代が説教したからではなくて、「日本の今の言論空間自体がおかしいよね」と自発的に気づいたんです。

元をたどれば、弁護士懲戒制度請求をおちょくっていた人たちが原動力ですが、それはとりあえず置いといて、その人たちが何か本を読みたいというときに、佐藤さんの本はすごく薦めやすい。いわゆる従来の左翼的な人たちの著作や、あるいはもはや古典となった丸山眞男では薦めにくい。ちょっと読みたいとか、何からやっていいかわからないという人に佐藤さんの本とか、佐藤さんと池上さんの対談本はすごく薦めやすい。

リベラルサイドからは「何で池上の本なんか薦めるんだ。彼は非常に問題発言をしているじゃないか」とか、「佐藤は権力側の人間じゃないか」みたいな、判で押したような批判をしてくる人たちがいるけれど、今の若者にはすごく薦めやすいのです。

佐藤　それはとてもいいことです。私が権力側というのは、元外務官僚ですから、権力の論理からどうしても抜けられないので、仕方のないことです。ただし、私は自分の考えを正直に述べています。

香山　もう一つびっくりしたのは、ヘイト動画は四〇万本削除されたのですが、リベラル動画はほとんどと言っていいほどない。これまでYouTubeで「韓国」と入れると、とにかく大量にヘイト動画が出てきていたのが、今は掃除されてほとんどない。じゃあ逆に、韓国についてきちんと語っているようなものが出てくるかというとそれもない。ファッションとかグルメ、あるいはアイドル、いわゆる韓国ガイドです。韓国のK-Popは世界を席捲《せっけん》しているから、それが出てくる。それはそれでよほどマシなのですが、残念なのは、韓国に対抗するような感覚についてきちんと語っているものはあるかと言えば、それはないんです（笑）。

「反ヘイト」の流れをつくった「通報」

香山　反ヘイトについてもう少し話しますと、私、このところ考え方が変わって、私たちのやり方は間違っていたと思っているんです。

佐藤　ほう、どういうことですか？

香山　ネットの中のヘイトを全然見ていなかった人たちが、自分たちで気づいて「なんやこれ」「何が起きてんの」となったのです。

佐藤　彼らは独自の進化系を持っているんです。

香山　いや、驚きました。

佐藤　その進化系というのは、「断絶的進化」なんです。今までノンポリだった人が突然ヘイト言説に目覚めてしまう。同じように今まで政治的問題意識が希薄だった人が反ヘイトに目覚める。

香山　本当にそう思いました。彼らの理解と〝覚醒《かくせい》〟の仕方はまさに「集合知」で、「こうらしい」「いや、こうらしい」と自分たちで探ってきて、その理解がすごく正確なのです。一〇年前に一部の人が言っていたように、「こんな動画は世界に恥ずかしくて見せられないよな」とか「こんなことを言われる人たちの気持ちを考えたことがあるんだろうか」とか発信し始めたのです。彼らには「猛虎弁（似非《えせ》関西弁）」と言って、もともとタイガースファンをバカにするごく一部の人たちから出てきた言い方ですが、その間違った関西弁を使うという変なルールがあって、それはわざとなんですけど、彼らがネットで「こんなもの見せられへん」と騒ぎ出した。

佐藤　水野敬也氏の『夢をかなえるゾウ』に出てくるガネーシャみたいな感じですね。

香山　それで、「ワイたちで終わりにせなあかん」、「下の世代にはとても見せられへん。こんな俺たちの恥や」とか言って、毎日ヘイト書き込みの通報を続けた。集団の力ってすごいと思いました。私たちは「YouTubeがやるべきだ」と、YouTubeを糾弾していただけで、自分たちで通報しようなんてあまり考えていなかった。だから、「あっ。ほんと、やれば効果が出るんだ」と気づかされた。文句ばかり言っているんじゃなくて、みんなで通報する。だから、今はよい方向に、一部ですけど、動いています。

佐藤　そこで重要なのは、国家に頼らないという点ですね。

香山　そうですね。国が何とかすべきだとか言ってもはじまらない。

佐藤　国家に対してそれを遮断しろという方向に向かわないことが非常に重要です。国家というものがどれぐらい怖いものかを、知っておかないといけない。

香山　ネット民たちは逆説的に「これは安倍さんのご意向に従ってやってるんや」と言っているんです。安倍さんは一回だけいやいやながら国会で「他国の人たちを不用意に傷つけるのはいけないことだと思う」と答弁したことがあります。その動画をパッと切りとってきて、ネトウヨたちに対して、「お前ら何言ってるんや。これは安倍さんも言ってるんや。安倍さんのご意向なんやで」と。ああ、そういうおもしろい人たちもいるんだなと思いましたね。

タブーがポストモダンの不条理を超える手がかり

佐藤　彼らは、導師を必要としているのですか？

香山　ちがうと思います。右側の人は「黒幕がいるにちがいない、それは誰だ」と必死に探している。香山だという説もあります（笑）。

佐藤「私が黒幕です」と言えばいい（笑）。

香山　匿名掲示板では、私は「盾」と言われているんです。この動きはピラミッド的な支持構造があってやっているにちがいないと、少し上の右の世代は思っているらしいんですが、全然ちがう。自律発生的に何の中心もなく出てきた動きです。私は立ち上がりからずっと見ているからよくわかります。司令塔もいない。そこが右の人には理解できない。金が出てるだろう、どっかに資金源があるだろうと。

佐藤　一方でそれは、言論監視につながるという意見もあります。実はポイントは何かと言うと、社会にはタブーが必要なんです。タブーのない社会はよい社会ではない。ヘイトはタブーなんだという文化が定着してくれればいい。

香山　心からそう思います。

佐藤　世の中にはある種のタブーがないといけない。タブーは必ず「耐エントロピー構造」を持つから、フラット化を目指す新自由主義とぶつかるし、ポストモダンともぶつかるんです。それでタブーのあるよい世界になっていく。

一人一人の専門性が不条理を突破する

香山　「若者と文学」「若者とSNS」について随分話し込んでしまいました。そろそろまとめに入りましょうか。私たちはポストモダンの不条理を克服するためにどうすればいいのか。

佐藤　それは先ほど、重要なヒントを香山さんがおっしゃった。「身体性」と「他者」です。リアルに認識できる、その他者との関係をどうつくっていくかということじゃないでしょうか。

香山　手が届く他者ですね。

佐藤　そうです。汝《なんじ》の隣人を汝自身と同じように愛せよ、ということ。

香山　仁藤夢乃さんが街で行き交う家出中学生に声をかけて連れ帰るという無償行為などですね。

佐藤　それは香山さんが医師として、患者さんに殴られても、臨床を続けていることと同じことだと思います。月並みになりますが、自分の本来の陣地はどこなのかに立ち戻り、そこの陣地でやるべきことをやる。作家は、自分の専門の分野で思っているところをきちっと書くこと。学者は何かと言ったら研究することです。

香山　本当ですね、それは私も肝に銘じています。自分の足場、ここに帰ればよいという仕事、それは手放したくないな、と。しかし一方で、この時代、「足場だけ」ではどうかとも感じます。実際に大学にいると、たとえば人権について研究しているのに、今リアルな社会で起きている人権を破壊するような動きには無関心という研究者がいるのです。「何か発言したくなりませんか」と訊くと、「それは自分の仕事じゃないから」と。そこまで完全に解離できる心のタフさはむしろうらやましいけれど、でもそれでいいんですか、と言いたくもなります。

佐藤　昔、全共闘がよく「専門バカ」と先生たちを批判しましたが、専門性がなければただのバカです。そんな学者は相手にされません。

それから、繰り返しになりますが、ここは香山さんとは感覚は大分ちがうと思うけれど、子どもにおもねる運動はよくない。

香山　先ほどのシールズのことですね、それはわかります。

佐藤　確かに大人が伴走しなくてはならないケースもあります。食事をおごったり、いろんな話をしたり、危ないときは守らないといけない。ただ、シールズに素晴らしい思想があると本当に思っているとしたら、それは知的劣化以外の何ものでもないし、そうじゃなくて戦略的な発言なのであれば、これはサーカスが子どもを使うのと一緒です。

香山　それはそうかもしれない。そうして黒衣《くろこ》に徹していた研究者もいるにはいました。

佐藤　確かに黒衣に徹する知識人の存在は重要です。でも、いくら一生懸命説得しても、わからない学生もいます。大学の五回生、六回生に進んで、そのまま中途半端な活動家になって、革命運動からも、仕事からも疎外されていった事例をいくら説明しても耳を傾けず、そうなる人はいる。それはしょうがない。だから、われわれ大人ができることは限られていると思う。

香山　そこは本人の選択という面もあると思います。自分で選んで、どこかでつまずいて、そうしないと気づかないと思うし。いや、気づかなくてもいいのかもしれない。助言や指導は大切ですが、先ほどの「ライフチャンスを広げる」ではないですが、決めるのは本人です。

佐藤　確かにその通りです。私が今、もう少しやりたいと思っているのは、まともにものを考えている学生にちゃんと公務員試験を受けさせて、社会福祉関係に送り込みたい。何人か出てこないかと思っているのですが、これがなかなか難しい。

香山　福祉の分野は本当に報酬が低いですから。

佐藤　公務員の報酬は悪くありません。仕事自体が本当にきついから、みんな行きたがらない職場になっている。

香山　私は今、とある自治体の役所の産業医をやっていますが、福祉課には非常勤も多いし、それでいて責任も重いしハードなケースばかりだし、ということで燃えつき症候群に至る人もいます。感情の枯渇、仕事の脱人格化、達成感の低下が起きて、そのあともう起き上がれないほどのうつ状態に陥る。「頑張ろうと思ったのに」と自分を責める人も多く、本当に残念です。

佐藤　意欲のある若者がボランティア団体に行ったり、あるいはヘルパーになったり、現場で働くことにも意義があります。ただし、一定以上の学力があるんだったら、行政のほうに行く道もある。同じ領域のことができるわけだし、その仕組みを変えることもできる。一人のヘルパーが一生の中で相手できるのが三〇人だとしたら、行政に行って同じ福祉をやれば、それは一〇〇倍ぐらいには膨れるわけで、そういう考えもありです。

香山　それで一つ思い浮かぶのは、ＮＰＯ法人「ライフリンク」の活動です。元ＮＨＫのディレクターだった清水康之さんが主宰する、自殺したいと考える人に向き合う団体です。超党派議連を巻き込んだここの活動は大きな成果を出しつつあり、自殺が目に見えて減ってきました。それはもちろん景気がよくなって雇用が増えていることもあると思うけど、彼がいろんなところで、それこそさっき言った直接手に触れられなくともその仕組みをつくるということで頑張って、唯一うまくいっている例だなと。そこで彼が心に銘じているのは、個人の頑張りにゆだねてはいけない。自分がすべて背負うみたいなやり方は絶対ダメということを実践している。

佐藤　清水さんたちは、資本主義の論理とうまく噛み合わせることに成功して、経団連の眼差しがよくなったことは非常に大きい。自殺による国の経済的損失は非常に大きいと彼は説いた。

香山　そう。逸失利益を一生懸命計算して、自殺者の増加で国は何億円損しているとか。イギリスがうまくやっているのを見てきて、それを上手にプレゼンテーションしたんです。彼自身もいわゆる左翼臭はなくて、すごく感じのいい青年だし、うまくいきましたね。

佐藤　清水さんや社会活動家の湯浅誠さんたちのあり方は、これからすごく重要になってくると思います。

香山　彼らが好ましいのは、若い世代だし、飄々《ひょうひょう》としているところです。自分が名声を得たいという執着もないし。前のめりにもなりすぎない。遊ぶときは楽しく遊んだり、お酒もよく飲むし。

佐藤　彼らは燃えつき症候群の恐ろしさを知っているんじゃないかと思います。

貧困の問題などに取り組むと、どうしても政府から金を引っ張ってこないといけないから、そこで政権との距離が近くならざるをえない。これは宿命ですね。

香山　そうなんですよ。それは私もいわゆるヘイトスピーチ対策法のときにちょっと感じました。あのときやはり、法律ができたのは自民党の西田昌司《にしだしょうじ》議員などが積極的になったのが大きかった。与党ってすごい力があるんだな、と目の当たりにしました。

佐藤　それに対して、外野がぶつぶつ言っても意味がない。

香山　東京の渋谷区でもLGBTの条例ができたんです。それ自体はよかったのですが、区長に理解してもらうためにアパレル出身の担当課長が公園を閉鎖してホームレスを追い出してしまった。LGBTの人たちは、結果的にそれと引きかえに条例を勝ち取ったみたいなことになった。そうなると、ホームレスを支援している人たちからすれば、「何だよ、あいつら」みたいなことにもなる。

マイノリティの人たちが行政と交渉する過程で、みんなが一様に公正に救われるということではない現象も起きてくるんです。

佐藤　別個に進んで共に撃てばいい。だけど、逆に仲間で撃ち合うということが起きるわけです。富裕層に属するＬＧＢＴの層が日本にも生まれつつあるのは間違いない。渋谷の長谷部健区長もそういう人たちと組んでいるのでしょう。

現実には、とにかく経済的に厳しくて、マイノリティーの性的志向を持つ人たちが、実は声も出しにくいという状況もあるわけです。長谷部さんたちはそれをくみ取ることができていないように思えます。

香山　わかります。私も渋谷区の担当課長に会いました。彼自身もＬＧＢＴですが、正直な感想として、とても弱者の気持ちがわかっているとは思えなかった。

佐藤　一般論として、社会的に強い立場にいる人間が弱者の気持ちがわかるというのは幻想です。

でも、わからない人だとしても、ゲームはできる。これをやらないと自分にとって不利益があるということがわかるような、そういうゲームをやればいい。これは、官僚を動かすときには死活的に重要なことです。こんなことをしていると自分の出世にマイナスということがわかれば、官僚は大体言うことを聞きます。

香山　こっちも悪にならないといけないですね。

佐藤　そういうことです。

「知力」を武器として不条理に切り込む

香山　私たちもそうですけど、とくに若い人たちにとって、自身のことも含めて社会や時代が読みにくくなっています。

佐藤　今の社会が読み解きにくいというのは、裏返して言うと、ヘーゲルが言った有名な言葉「ミネルヴァの梟《ふくろう》は黄昏《たそがれ》に飛び立つ」ということです。「ミネルヴァの梟」というのは哲学とか知恵という意味で、一つの時代の哲学というのは、日暮れてみないとわからないということです。時代の転換期にならないと、その時代精神は読めない。読めるというのは、その時代が終わることを意味する。

香山　では読めないからこそまだ希望があるかもしれない、と考えればいいわけですか。

佐藤　もう一つ読みにくい理由は、私は神学徒だからどうしてもプレモダンの世界を扱うことになる。だから、あまりモダンな価値観にとらわれないし、ポストモダン的なものはすごくモダンという感じがする。私みたいに、プレモダンの世界を扱っているとわからないことがある。その理由も二つあります。

一つは情報が足りないこと。もう一つは切り口を間違えていること。今起きている現象も、たぶん相当のことは切り口の問題で、その切り口をきちんと決められれば、一応整合的な説明ができることが多いと思う。そのために必要なのは知力なんです。

香山　切り口を間違えないためには知力が必要。重い言葉です。知力がなければ、どうしても自分の経験や立場からしか切り口を見つけられないから。ちょっとは〝敵〟のことも知らなければと思って、ネトウヨの動画を時々見るのですが、このあいだ見たのはすごかったです。その世界では数万の登録者がいる〝人気者〟が、「右翼と左翼は脳の構造が違う。右翼は男性的な理論脳、左翼は女性的な感情脳、私は典型的な理論脳です」と堂々と言っていました。

彼の言い分では、左翼は「とにかく戦争はイヤ、自分や子どもが死にたくないから」という目の前のことしか考えられない感情的思考の持ち主で、一方、右翼は「国のため」など広い視野で考えられるから理論的なのだそうです。あまりにレベルが低いとはいえ、これなども「切り口」の問題かと思いますが、いったんそう考えてしまうとすべての事象をそこにあてはめて語れるので、見ている人は「なるほど！　いいことを言うな」と納得してしまうのです。

そういう間違いを犯さないためには、どうすればいいのか……。エビデンスを重ねてもその果てに答えがあるとも思えないので、佐藤さんが言うように最初の「切り口」が大切というのは私も賛成ですが。

佐藤　それこそマルクスは「資本論」で、「労働力の商品化」をキーワードにして資本主義に搾《さく》取《しゅ》があることを読み解いた。そこの基本がしっかりできている。手を替え品を替えて、資本主義システムをちゃんと読み解いていったわけです。

キリスト教では圧倒的な人間性悪説に立つ。私自身を含めてどんな悪さをするかわからないから、「システムとしての規制」が必要だという発想になる。

それから、国家に対しては、国家は絶対に善ではありませんと。悪を持っている人間のつくった共同体・集合体だから、もっと悪いに決まっている。だから、国家に対する警戒も出てくる。それでも、国家には国家なりの価値基準があるわけです。

あるいは、再生医療。iPS細胞の発見でみんなが大喜びしているのは不思議に見える。永遠に生きるというけど、どこまで必要なのか？　あの近藤誠医師はがんと闘うなと言っている。これは、経済的に余裕のない人にとっては本当に朗報です。両親ががんになった。でも闘わないほうが父や母のためとなれば、一六〇〇円の彼の本を買うだけで済み、経済的な支出を抑えられる。

香山　医療の問題に関しては語りたいことがたくさんあります。出生前診断、ゲノム編集治療、あるいはさらにゲノム編集ベイビー、そして佐藤さんがおっしゃった再生医療などなど、どこに評価や価値の軸を置いて考えればよいのかわからない問題があまりに多いし、これからますます増える。そうなると、とにかく「医療の進歩は善《よ》きもの」というものすごく単純な価値観を受け入れるか、逆に「ワクチンもゲノム医療も全部信用ならない」という医療否定やおかしな陰謀論に走るか、そのどちらかになってしまうのです。

佐藤　一九六〇年代生まれのわれわれが、あと五〇年も生きることはない。人生の折り返し点は過ぎているのだから、できることを選ばないといけないわけです。では、何をやろうかというと、一つは、名桜大学で沖縄アイデンティティについての集中講座をまたやってみようかと考えています。たとえば前回、広津和郎[116]の『さまよへる琉球人』を教材に「さまよえる琉球人問題」をやったのですが、学生たちにすごく反応がありました。リベラル派は本来沖縄に同情的なのに、広津がその作品を発表したとき沖縄青年同盟が抗議したため、広津自身が中央公論誌上でそれを「創作集」に再録することはしないと表明した事件です。彼は著作を封印するという形で処理させてしまった。その問題をもう一度扱ってみたい。ほかにも教材にしたい本はいくつかあって、大城《おおしろ》立裕《たつひろ》先生が辺野古に関する小説『辺野古遠望』を書いた。大城貞俊先生の『椎の川』という本もある。『椎の川』は戦争末期にハンセン氏病になった沖縄北部の女性の話です。

ですから、テキスト、小説の読み解きをする中でいろんな追体験をしていくことが重要です。そして自分の思想を表現する言葉を見出していく。私は政治の言語というものは文学によって鍛えられると思っています。

香山　沖縄には自分なりに関わっています。反差別の活動を長年一緒にやってきた友人が沖縄で逮捕されて、その支援活動を続けてきました。彼は本当に不幸な生い立ちで、途中でやくざになりかけて入れ墨があったりするんだけど、もちろん足抜けして、差別は許せないといろいろ活動してきた人です。逮捕されたのは山城博治さんより先だったのですが、山城さんが釈放になったあとも勾留が続きました。相手の機動隊員が転んだぐらいで四カ月も五カ月も勾留されるのはおかしいじゃないですか、ふつうに考えてもね。これはまさに、権力の不条理です。

佐藤　自分の友達を支援するというのはいいことです。それと、香山さんの場合は活動主体として常に誠実に語ろうとしている。だから逆に、ちょっと傷つきやすいところがあるんじゃないか。

逮捕されたあなたの友人のことですが、権力にとっては隔離することが目的なんです。警察の目からすると、こいつが反対運動の核で、こいつを隔離しておけば、後は烏合《うごう》の衆だとなる。だから、真っ白いテーブルクロスの上に黒いシミが浮かんで見えてくるように警察はいつでも監視を続けているわけです。

香山　すごいですね。私も本当にそれを感じます。

佐藤　でも、権力とはそういうものです。さて、われわれはあえて話を収斂《しゅうれん》させませんでした。それ自体がポストモダンが生み出した不条理のなせるわざなのかもしれませんが、あえて私なりの思いを最後に述べるとすると、タブーはタブーとして位置づける動きこそ、ポストモダンが生み出してしまった「不条理」を乗り越えていくための足掛かりになると考えます。

香山　私は決して状況を楽観してはいませんが、ポストモダンが生み出した不条理を克服していく手がかりはあるようです。その兆しの一つが、匿名の若者たちによるヘイト動画削除の動きなのかもしれません。

＊116　広津和郎（ひろつ　かずお）　小説家・文芸評論家（1891～1968年）。カミュの『異邦人』をめぐる中村光夫との論争や松川事件の政治的評論などで知られる。『年月のあしあと』で野間文芸賞（1963年）と毎日出版文化賞（1963年）を受賞。

あとがき　神の声を求めるヨブのように

香山リカ

　私がこの対談を通して畏友《いゆう》・佐藤優さんに訊きたかったことは、次の問いに集約される。

「この世の不条理、人生の不条理は普遍的、本質的なものか。それとも社会的、政治的なものなのか」

　佐藤さんはよく知られるようにクリスチャンだ。旧約聖書には「ヨブ記」という興味深い書がある。富裕層だが信仰も篤《あつ》く敬虔《けいけん》な生活を送っていたヨブは、悪魔のしわざにより一日にして家畜としもべ、それに息子と娘までを失い、全身が痛む病にとりつかれる。苦しむヨブを見て、妻は思わず夫に「神を呪《のろ》って死になさい」と勧めたほどだ。

　それでも「神から幸いをうけるのだから、災をもうけるべきだ」と言っていたヨブだが、苦痛が七日七夜続くとさすがに耐えきれなくなり、訪ねてきた友人たちを前に「こんな罰を受けなければならないような罪は犯していない」と嘆き、それは次第に「なぜ私がこれほど苦しまなければならないのか」という神への問いから次第に呪詛《じゅそ》にまでなり、ヨブの口から絞り出されるようにして発せられ続ける。

「わたしがあなたにむかって呼ばわっても、あなたは答えられない。わたしが立っていても、あなたは顧みられない。

あなたは変って、わたしに無情な者となり、み手の力をもってわたしを攻め悩まされる。

あなたはわたしを揚げて風の上に乗せ、大風のうなり声の中に、もませられる。

わたしは知っている、あなたはわたしを死に帰らせ、すべての生き物の集まる家に帰らせられることを。」

ヨブ記は全体で四二章からなるのだが、その第三章から第三七章までの大半は、このようなヨブの苦痛の嘆きで占められる。

そして第三八章になってはじめて、これまで沈黙していた神が現れ、ヨブに語りかけ始める。

しかしそれは、「なぜ私がこんな目に遭わなければならないのか」というヨブの疑問や嘆きに答えるものではなく、自分の絶対的な威力を誇り、ヨブを戒めようとさえするかのような内容であった。

「あなたは腰に帯して、男らしくせよ。わたしはあなたに尋ねる、わたしに答えよ。

あなたはなお、わたしに責任を負わそうとするのか。あなたはわたしを非とし、自分を是としようとするのか。

あなたは神のような腕を持っているのか、神のような声でとどろきわたることができるか。」

その神の言葉が三章にわたって続いたあとで、それはこう締めくくられる。

「これは自分のあとに光る道を残し、淵《ふち》をしらがのように思わせる。

地の上にはこれと並ぶものなく、これは恐れのない者に造られた。

これはすべての高き者をさげすみ、すべての誇り高ぶる者の王である。」

すべてを聴き終えたあと、最終章でヨブは短く答える。

「わたしは知ります、あなたはすべての事をなすことができ、またいかなるおぼしめしでも、あなたにできないことはないことを。

『無知をもって神の計りごとをおおうこの者はだれか』。それゆえ、わたしはみずから悟らない事を言い、みずから知らない、測り難い事を述べました。

『聞け、わたしは語ろう、わたしはあなたに尋ねる、わたしに答えよ』。

わたしはあなたの事を耳で聞いていましたが、今はわたしの目であなたを拝見いたします。

それでわたしはみずから恨み、ちり灰の中で悔います。」

なぜなのか。なぜここまで神に尽くして義の人生を歩んできたヨブはこれほどの苦難を与えられ、さらにそれを恨むことさえ許される、神に言い負かされて「ちり灰の中で悔います」などと言わなければならないのだろうか……。

「ヨブ記」の最後は、一転して神がヨブのために財宝、家畜、しもべなどを再び与え、「この後、ヨブは百四十年生きながらえて、その子とその孫と四代の先までを見た」という〝ハッピーエンド〟の物語がほんの数行、記されている。しかし、それはいかにもとってつけたような話にしか見えない。それよりも心に残るのは、ヨブが延々と「なぜ私がこれほど苦しまなければならないのか」と問い続けるパートであることは言うまでもない。

このヨブ記の解釈はこれまでも数多《あまた》あり、私のようなノンクリスチャンがそこに付け加えることは何もない。

ただ、精神科医として臨床の現場にいると、そこには「現代のヨブ」と呼ぶべき人たちが大勢、訪れる。医療とは症状や検査結果を客観的に見る（「対象化」する）ことで診断をつけていくものであるが、精神科ではどうしても〝人間〟が浮かび上がってくるので、自分を重ね合わせたり比較したりしてしまうことがある。対談の中でも触れたが、私はいつも思うのである。

「この人は、私なんかよりずっと頭の回転が速く、性格も善良でまじめだ。それが、たまたま暴力を振るう父親のいる貧しい家庭で育ったために、大学進学もできず、生活のために始めた風俗業でだまされて覚醒剤に手を出し、薬物依存症になってしまった。どうしてこんな不平等、不条理、理不尽なことがあるのか。どうして私とこの人が逆の立場にならなかったのか」

つまり、私は〝ヨブとはまったく正反対の立場にいるヨブ〟なのだ。延々と神に「どうして神はこんなに賢くもなく善良でもない私をひどい目に遭わせないのですか」と問い続けているわけだ。

もちろん、いくら問うても答えは出ない。それにSNSでそんなことを口にしようものなら、すぐさま匿名の人たちから「そう思うなら、今すぐあなたが全財産と家を貧しい人たちのために寄付すべきだ」「医師免許を返上してボランティアをすればいいだろう。豊かな生活を享受しながらそう言うのはポーズにしかすぎない」という批判が押し寄せる。彼らの多くは在日韓国人など社会的少数者への差別に反対する私に敵意を持つ自称・愛国者などであるが、その姿勢は許しがたいものの、前述のような私への批判には心の中で「もっともだ」とうなずくしかないのである。

そういった私の長年の問いを、佐藤さんに聞いてもらい、何らかの答えがほしい。それがこの対談のいちばんの個人的な目的であったのだ。

佐藤さんは、私の要領を得ない問いに辛抱強く耳を傾けながら、事態を歴史や世界の中で、広い視野でとらえることの大切さを言葉をかえて説いてくれた。理性という鏡に照らせば、わかってくるものもたくさんある。常に全力で「知的」であり続けなければならないのだ。もちろん、それでもなお残る不条理、理不尽もあり、それはもう人智を超えた世界に〝おまかせ〟するしかないのかもしれない。ただ、何も学ばず知ろうとせず、ただ「どうしてこんなことが起きるのですか」とヨブのように延々と神への呪詛を唱えたりオロオロしていたりしているだけでは、何も事態は変わらないのかもしれない。

佐藤さんとの対談を終えて、私は自分が置かれている不条理な状況を少しでも変えるためには、自分が本来いるべき場所を探す努力をしなければならないと思い、世界の貧困な国や紛争地域で医療に取り組む人たちに会って、話を聴く機会を得ようと動き始めた。「メディア人間」の私だが、遅ればせながら、佐藤さんが重ねてきた「リアルな出会い」を求めたのだ。そして、この三月にはミャンマーで医療を提供している日本人医師のもとに出かけ、〝手伝いのまねごと〟をしようと計画を立てた。

しかしそのあと、新型コロナウイルスが世界を襲い、私のささやかな計画は白紙に戻ってしまったのである。これも私にとっては不条理、理不尽な出来事そのものであった。しかしそれでも、「事態をできるだけ世界の中で、歴史の中で、理性の鏡に照らしながらとらえてみる」という佐藤さんに教えられた基本は忘れず、「今自分にできることは何か」を考えている。

私にとっておそらく決定的な転換点になるであろうこの対談を準備し、まとめてくれた同文社の前田和男氏に心から感謝している。そしていつか、その転換点の後、私がどのような人生を歩むことになったかを、佐藤さんと前田さんに伝え、文章として世に送り出す日が来ることを、心から願っている。本当にありがとうございました。

二〇二〇年五月

著者プロフィール

佐藤　優（さとう・まさる）

作家、元外務省主任分析官。1960年、東京都生まれ。1985年に同志社大学大学院神学研究科修了後、外務省入省。在英国日本国大使館、在ロシア連邦日本国大使館に勤務した後、本省国際情報局分析第一課において、主任分析官として対ロシア外交の最前線で活躍。2002年、背任と偽計業務妨害容疑で東京地検特捜部に逮捕され、2005年に執行猶予付き有罪判決を受ける。2009年に最高裁で有罪が確定し、外務省を失職。2013年に執行猶予期間が満了し、刑の言い渡しが効力を失った。2005年に発表した『国家の罠 外務省のラスプーチンと呼ばれて』で第59回毎日出版文化賞特別賞受賞。2006年に『自壊する帝国』で第5回新潮ドキュメント賞、第38回大宅壮一ノンフィクション賞受賞。『獄中記』『交渉術』『十五の夏』など著書多数。

香山　リカ（かやま・りか）

精神科医、立教大学現代心理学部映像身体学科教授。1960年、北海道生まれ。東京医科大学卒業。豊富な臨床経験を活かし、現代人の心の問題を中心に、政治・社会評論、サブカルチャー批評など幅広いジャンルで活躍、さまざまなメディアで発言を続けている。『人生が劇的に変わる スロー思考入門』（ビジネス社）、『オジサンはなぜカン違いするのか』（廣済堂出版）、『皇室女子“鏡”としてのロイヤル・ファミリー』（秀和システム）、『「発達障害」と言いたがる人たち』（SBクリエイティブ）、『テクノスタルジア』（青土社）、『ポケットは80年代がいっぱい』（バジリコ）、『しがみつかない生き方』（幻冬舎）、『50オトコはなぜ劣化したのか』（小学館）、『ノンママという生き方』（幻冬舎）など著書多数。

不条理を生きるチカラ

2020年6月21日　第1刷発行

著　者　　　佐藤 優　香山リカ
発行者　　　唐津 隆
発行所　　　株式会社ビジネス社
〒162-0805　東京都新宿区矢来町114番地 神楽坂高橋ビル5階
電話　03(5227)1602　FAX　03(5227)1603
http://www.business-sha.co.jp

印刷・製本　大日本印刷株式会社
〈カバーデザイン〉大谷昌稔
〈撮影〉外川 孝
〈本文組版〉茂呂田剛(エムアンドケイ)
〈営業担当〉山口健志
〈編集担当〉前田和男　斎藤 明(同文社)

©Sato Masaru＆Kayama Rika 2020 Printed in Japan
乱丁、落丁本はお取りかえします。
ISBN978-4-8284-1976-3

ビジネス社の本

人生が劇的に変わる スロー思考入門

香山リカ……著

定価 本体1000円＋税
ISBN978-4-8284-1944-2

"即断即決社会"が心を病気にする。
明日できることは、今日やらない！

自分を苦しくする"自己啓発的生き方"は、もうやめませんか？ 常識に自分を縛りつけて、苦しんでいませんか？ すべての人が「高い成果」を求めて生きる必要なんかない。
心がラクになる「その日暮らし」の生き方。

本書の内容
第1章 即断即決しない先のばし仕事術
第2章 心がラクになる悩みリセット術
第3章 誰とも割り切ってつきあう人間関係術
第4章 ひとりでもできる、人生を謳歌する方法